JE NE SUIS D'AUCUNE ÉPOQUE
NI D'AUCUN LIEU.

CAGLIOSTRO

LES GARDIENS DU SANG

LE TRIANGLE SECRET

TOME V
ACTA EST FABULA

DIDIER CONVARD

DENIS FALQUE

Couleurs : YANNICK LECOT

Couverture : ANDRÉ JUILLARD

Glénat

www.glenatbd.com

© 2013, Éditions Glénat - Couvent Sainte-Cécile
37, rue Servan - 38000 Grenoble
Tous droits réservés pour tous pays
Dépôt légal : mars 2013
ISBN : 978-2-7234-8162-5 / 004
Achevé d'imprimer en France en juin 2017 par Pollina - L80793,
sur papier provenant de forêts gérées de manière durable.

PEFC™ 10-31-2065 / Certifié PEFC / pefc-france.org

2 HEURES 09.

AH, VOUS ÉMERGEZ ENFIN, MONSEIGNEUR GHISOLFO ! JE NE PENSAIS PAS AVOIR SURDOSÉ LA ZOPICLONE... JE SUIS SINCÈREMENT DÉSOLÉ.

QUI ÊTES-VOUS ?

ALLONS, NE ME FAITES PAS CROIRE QUE VOUS L'IGNOREZ ! REGARDEZ ! REGARDEZ BIEN... JE SUIS CELUI QUI A FAIT EXPLOSER LA COUVEUSE AVANT D'ÉLIMINER MONSIGNORE !

OUI, CE TUEUR... LE RECTIFICATEUR ! LE NEUTRON FOU DE CETTE AFFAIRE !

J'ACCEPTE LE COMPLIMENT. PARLONS JUSTEMENT DE NOTRE AFFAIRE... SANS DOUTE IMAGINIEZ-VOUS QU'ELLE ÉTAIT TERMINÉE ?

N'EST-CE PAS LE CAS ? ET POUR QUELLE RAISON VOUS ADRESSEZ-VOUS À MOI ?

NE PERDEZ PAS VOTRE TEMPS À CE PETIT JEU, MONSEIGNEUR. CE N'EST PAS DIGNE DE LA PART DE L'UN DES SEPT PILIERS DE LA HAUTE LOGGIA !

VOUS SAVEZ DONC CELA AUSSI... VOUS ÊTES UN ADVERSAIRE ENCORE PLUS REDOUTABLE QUE NOUS NE LE CROYIONS. NÉANMOINS, J'AI PEUR QUE VOUS N'AYEZ ENTREPRIS UNE INUTILE EXPÉDITION CETTE NUIT. JE ME DOUTE DE CE QUE VOUS ÊTES VENU CHERCHER...

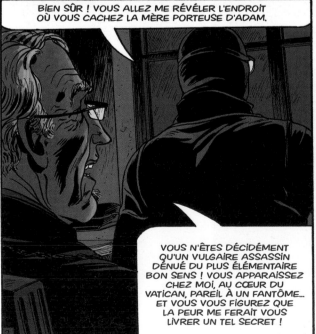

BIEN SÛR ! VOUS ALLEZ ME RÉVÉLER L'ENDROIT OÙ VOUS CACHEZ LA MÈRE PORTEUSE D'ADAM.

VOUS N'ÊTES DÉCIDÉMENT QU'UN VULGAIRE ASSASSIN DÉNUÉ DU PLUS ÉLÉMENTAIRE BON SENS ! VOUS APPARAISSEZ CHEZ MOI, AU CŒUR DU VATICAN, PAREIL À UN FANTÔME... ET VOUS VOUS FIGUREZ QUE LA PEUR ME FERAIT VOUS LIVRER UN TEL SECRET !

PAS LA PEUR, MONSEIGNEUR... LA DOULEUR, OUI !

4

JE VOUS CERTIFIE QUE MA MÉTHODE VOUS TIRERA DE LA GORGE CE QUE JE VEUX SAVOIR ! JE VAIS MÊME EXTIRPER CHACUN DE VOS MOTS, MONSEIGNEUR ! DEUX MILLILITRES D'UNE DROGUE DONT RAFFOLAIENT LES NAZIS POUR AUGMENTER LA SOUFFRANCE DE LEURS SUJETS... ET QUELQUES COUPS DE SCALPEL POUR VOUS DÉPECER LENTEMENT ! VOUS PARLEREZ !

MOSTRO !

J'AI OUBLIÉ DE VOUS PRÉCISER... CE PRODUIT PARALYSE EN PARTIE LE LARYNX DURANT UNE TRENTAINE DE MINUTES. CE TEMPS ME SUFFIRA POUR APPRENDRE CE QUE JE VEUX SAVOIR. CAR VOUS ME CHUCHOTEREZ VOTRE SECRET !

JE REGRETTE SINCÈREMENT DE DEVOIR VOUS TORTURER... ET DE VOUS LAISSER BIENTÔT DANS UN ÉTAT SI PITOYABLE QUE VOS PROCHES NE VOUS REGARDERONT QU'AVEC DÉGOÛT ! QUE DONNE UN TRÈS SAGE PILIER DE LA HAUTE LOGGIA, SES INTESTINS SUR LES GENOUX ?

2 HEURES 38.

AAAHHH!!! AU SECOURS!!!

SEIGNEUR, QUELQU'UN SE FAIT ÉGORGER À CET ÉTAGE !

LES CRIS PROVIENNENT DES APPARTEMENTS DE MONSEIGNEUR GHISOLFO...

À L'AIDE !!! UN MÉDECIN, POUR L'AMOUR DE DIEU ! MES INTESTINS... IL LES A SORTIS DE MON VENTRE ! ET MON FOIE... MON FOIE EST À VIF !

JE VOUS EN PRIE... CONDUISEZ-MOI À L'HÔPITAL ! JE SOUFFRE LE MARTYRE... CET HOMME... LE RECTIFICATEUR... IL... IL SAIT, MAINTENANT, JE N'AI PAS PU RÉSISTER !

VOYEZ... VOYEZ, MES AMIS, CE QU'IL A FAIT DE MOI ! REGARDEZ LA LOQUE QUE JE SUIS DEVENU SOUS SON SCALPEL... IL A TAILLÉ DANS MA CHAIR ! TAILLÉ, TAILLÉ... ET ENCORE TAILLÉ !

MONSEIGNEUR... VOUS N'AVEZ RIEN ! VOUS NE SAIGNEZ MÊME PAS...

JE VOUS ASSURE, VOTRE AGRESSEUR NE VOUS A FAIT AUCUN MAL. VOUS RAPPELEZ-VOUS AVOIR ÉTÉ DROGUÉ ?

UNE PIQÛRE... IL A INJECTÉ UN PRODUIT DANS MON COU... OUI... ET CELA M'A EFFROYABLEMENT BRÛLÉ...

IL VOUS AURA ADMINISTRÉ UN PSYCHOTROPE ET VOUS AURA HYPNOTISÉ... IL A LEURRÉ VOTRE ESPRIT, MONSEIGNEUR ! CE N'ÉTAIT QUE DE LA SUGGESTION.

LA PIRE DES TORTURES !

GHISOLFO A CRAQUÉ, MADAME. J'AI OBTENU L'INFORMATION...

DEMANDEZ IMMÉDIATEMENT AUX PLANIFICATEURS DE BRAQUER LE SATELLITE SUR LA ROUMANIE... SUR LA BANLIEUE SUD DE GIURGIU, PLUS PRÉCISÉMENT. LA HAUTE LOGGIA Y A TRANSFÉRÉ LA « MÈRE PORTEUSE ».

J'ATTENDS LES ORDRES DU TRIUMVIRAT, MADAME...

NOUS POUVONS ENCORE PRENDRE LE RECTIFICATEUR DE VITESSE ET FAIRE ÉVACUER LA RUCHE ! JE PRÉVIENS LES PILIERS DE LA HAUTE LOGGIA QUE J'OUVRIRAI UNE SÉANCE DANS UNE DEMI-HEURE. COUREZ ALLUMER LES CHANDELIERS DE LA SAINTE VOÛTE !

4

AUSSITÔT, DANS L'ARCHIPEL DES CYCLADES, EN MER ÉGÉE.

... AUTANT CHERCHER UNE AIGUILLE DANS UNE MEULE DE FOIN, MADAME ! IL EST FORT DOMMAGE QUE LE RECTIFICATEUR N'AIT PAS RECUEILLI DES INFORMATIONS PLUS PRÉCISES.

IL NE DISPOSAIT QUE DE TRÈS PEU DE TEMPS. DEPUIS L'ATTENTAT QU'IL A COMMIS CONTRE LA COUVEUSE DE LA HAUTE LOGGIA, LE VATICAN EST DEVENU L'ENDROIT LE PLUS SURVEILLÉ DU MONDE.

NOTRE SATELLITE PEUT ÉTABLIR DES RECONNAISSANCES THERMIQUES SUR GIURGIU ET REPÉRER TOUT MOUVEMENT DANS SA PÉRIPHÉRIE... METTONS TOUTE LA VILLE SUR ÉCOUTE, ENREGISTRONS LE MOINDRE APPEL ! QUE GIURGIU SOIT LA CROTTE DE MOUCHE LA PLUS SURVEILLÉE DE LA PLANÈTE !

MM-MH... VOICI UNE MÉTHODE ALÉATOIRE QUI NE SATISFAIT PAS NOS CRITÈRES DE RIGUEUR ! NOUS SOMMES LOIN DE NOS PLANIFICATIONS MATHÉMATIQUES. NOUS ALLONS DEVOIR OPÉRER AVEC UN FACTEUR DE PROBABILITÉS TRÈS IMPORTANT !

JE PROPOSE NÉANMOINS QUE NOUS DÉPÊCHIONS UNE ÉQUIPE D'AGENTS SUR LE TERRAIN POUR COLLECTER LE MAXIMUM DE RENSEIGNEMENTS AVANT DE FAIRE INTERVENIR LE RECTIFICATEUR.

D'UNE MULTITUDE DE SOLUTIONS POTENTIELLES, CHOISISSONS EN EFFET LA MOINS PIRE !

... LA GUERRE CONTRE LA HAUTE LOGGIA EST DÉSORMAIS OUVERTE ! ELLE IGNORE QUEL ENNEMI NOUS SOMMES, MAIS ELLE NOUS CRAINT, ET VA CERTAINEMENT AGIR PRÉCIPITAMMENT POUR PROTÉGER LA MÈRE PORTEUSE.

JE COMPRENDS... ELLE PEUT FAIRE UN FAUX PAS !

UN SIMPLE PETIT ÉCART QUE NOUS REMARQUERONS IMMÉDIATEMENT !

OUI, MISONS SUR CETTE ÉVENTUALITÉ. LES GARDIENS DU SANG DE ROUMANIE DEVRAIENT BOUGER DANS LES HEURES QUI VIENNENT. SOYONS À L'AFFÛT ET LANÇONS NOTRE CHASSEUR AU MOMENT OPPORTUN. MADAME, VOUS DONNEREZ NOS CONSIGNES AU RECTIFICATEUR...

* APOCALYPSE

2 HEURES 20.

« VOICI, JE ME TIENS À LA PORTE ET JE FRAPPE. SI QUELQU'UN ENTEND MA VOIX ET OUVRE LA PORTE, J'ENTRERAI CHEZ LUI... CELUI QUI VAINCRA, JE LE FERAI ASSEOIR AVEC MOI SUR MON TRÔNE, COMME MOI J'AI VAINCU ET ME SUIS ASSIS AVEC MON PÈRE SUR SON TRÔNE. »

MARDI, 8 H 49, AU SIÈGE DE LA B.I.S.*

HELLO LUCIE, LE PATRON EST ARRIVÉ ?

À 6 HEURES ; IL S'EST MURÉ DANS SON BUREAU... COMME TOUS LES JOURS, DIMANCHE COMPRIS ! JE LE TROUVE UN TANTINET NEURASTHÉNIQUE DEPUIS LE MASSACRE AU VATICAN.

LA NOUVELLE QUE JE LUI APPORTE VA LUI REDONNER LE MORAL, J'AI BIEN FAIT DE M'ACHARNER...

ON PEUT SAVOIR ?

PAS LE TEMPS ET TOP SECRET !

IDIOT ! C'EST MOI QUI TAPE TOUS LES RAPPORTS !

OUI... ENTREZ !

BONJOUR SYLVAIN.

J'ESPÈRE QUE C'EST IMPORTANT...

LA PREMIÈRE INFORMATION CAPITALE DEPUIS UNE SEMAINE, MONSIEUR GRÉGOIRE...

J'AI RETROUVÉ LA PISTE DU PROFESSEUR NOMANE !

* BRIGADE D'INFILTRATION DES SECTES, AGENCE DES SERVICES SECRETS FRANÇAIS.

RÉSUMONS : JEUDI DERNIER, À 1 HEURE 22, NOMANE PASSAIT UN COUP DE FIL À HÉLÈNE DANS SA PLANQUE. L'APPEL A DURÉ 29 SECONDES ET NOS TECHNICIENS NE SONT PAS PARVENUS À LOCALISER SA PROVENANCE...

VOUS CONNAISSANT, VOUS AVEZ BOSSÉ SUR CES 29 SECONDES, N'EST-CE PAS ? ALLEZ À L'ESSENTIEL ET ÉPARGNEZ-MOI LE COUPLET TECHNIQUE... GÉOLOCALISATION, TRIANGULATION ET POSITIONNEMENT SATELLITE ! JE M'EN FOUS !

VOUS OUBLIEZ LE DÉCODAGE G.S.M. ET LE CRAQUAGE DES DIFFÉRENTS CRYPTAGES ! PASSONS... VOICI L'ADRESSE D'OÙ JEAN NOMANE A TÉLÉPHONÉ.

NOM DE DIEU, JE VAIS ENFIN POUVOIR SORTIR DE CE SATANÉ BUREAU ! QU'ON PRÉVIENNE KELIAN, VIRGINIE ET LES « SCIENTIFIQUES », ON FILE... VOUS VENEZ AVEC NOUS, SYLVAIN.

ON JOUE LES CAVALIERS SOLITAIRES ? VOUS NE PRÉVENEZ PAS LA POLICE ? NOUS RISQUONS DE TOMBER SUR LES RAVISSEURS DU PROF !

N'OUBLIEZ PAS KELIAN. C'EST UN FLIC DÉTACHÉ À NOS SERVICES. MOI, ÇA ME SUFFIT POUR FONCER...

9 HEURES 26.

VOUS AVEZ LA LISTE DES OCCUPANTS DE CET IMMEUBLE, SYLVAIN ?

TREIZE APPARTEMENTS... DEUX SONT INOCCUPÉS. L'UN AU DEUXIÈME ÉTAGE, L'AUTRE AU TROISIÈME.

EH BIEN, COMMENÇONS PAR CES DEUX-LÀ. SORTEZ VOTRE TROUSSE À OUTILS, VIRGINIE, ET PROUVEZ-MOI QUE VOUS N'AVEZ PAS PERDU LA MAIN. LA SCIENTIFIQUE ATTEND QUE JE LUI FASSE SIGNE.

ATTENDEZ ; J'AI BIEN COMPRIS ? VOUS COMPTEZ ENTRER PAR EFFRACTION ? VOUS VOULEZ PROCÉDER À UNE PERQUISITION SANS COMMISSION ROGATOIRE ?

QUE DE GRANDS MOTS, KELIAN !

LE MINISTRE DE L'INTÉRIEUR ME COUVRIRA. JE LE PRÉVIENDRAI SI NOUS TROUVONS QUELQUE CHOSE... GRIMPONS ! SORTEZ VOTRE ARME, KELIAN, ET NE ME REFAITES PLUS LE COUP DE LA VIERGE EFFAROUCHÉE. J'AI CRÉÉ LA B.I.S. POUR PASSER OUTRE AUX PROCÉDURES ET À LA PAPERASSE !

DÉSOLÉ, J'AI ÉTÉ BIEN ÉLEVÉ, MAIS JE VOUS PROMETS D'ACCOMPLIR DE GROS EFFORTS POUR PRATIQUER VOS MÉTHODES D'ESPION, MONSIEUR GRÉGOIRE !

TU VERRAS, ON S'Y HABITUE VITE.

L'APPARTEMENT INOCCUPÉ... CELUI-CI, LE N° 3.

SONNONS TOUT DE MÊME... IL Y A PEUT-ÊTRE DES SQUATTEURS. L'ESPIONNAGE N'INTERDIT PAS LA POLITESSE !

NI LA PRUDENCE ! RESTEZ SUR LE CÔTÉ ; CETTE PORTE EST AUSSI FAIBLARDE QU'UNE VIEILLE ÉCORCE. SI QUELQU'UN TIRE AU TRAVERS, VOUS SEREZ TRANSFORMÉ EN ÉCUMOIRE ! LE MONDE DE L'OMBRE Y PERDRAIT BEAUCOUP.

PAS DE RÉPONSE, À VOUS DE JOUER, VIRGINIE.

UN COUP D'ÉPAULE SUFFIRAIT !

MÉFIONS-NOUS D'UN POSSIBLE PIÈGE.

J'ENTRE EN PREMIER.

COW-BOY !

CETTE ODEUR...

RECONNAISSABLE ENTRE MILLE, CELLE D'UN CORPS EN PUTRÉFACTION ! ÂCRE, SALÉE ET GRASSE... LES SALAUDS, ILS ONT TUÉ NOMANE ! CONTINUEZ D'AVANCER, JE JETTE UN ŒIL À DROITE.

J'AI TROUVÉ ! PAS TRÈS BEAU À VOIR...

À LA PUANTEUR ET À L'ASPECT, ON PEUT AVANCER QU'IL EST LÀ DEPUIS PLUS DE TROIS JOURS... MAIS CE N'EST PAS LE PROFESSEUR !

EN EFFET, RIEN À VOIR ! CET HOMME VOUS RAPPELLE QUELQU'UN, MONSIEUR GRÉGOIRE ?

ABSOLUMENT PAS. JE FAIS MONTER LES TECHNICIENS ; ILS VONT PASSER APPARTEMENT ET CADAVRE AU TAMIS... J'ESPÈRE QU'ILS NOUS APPORTERONT UN PEU DE LUMIÈRE ; J'ADMETS NE RIEN COMPRENDRE !

SI NOMANE ÉTAIT DÉTENU ICI, QU'IL SOIT PARVENU À ABATTRE SON RAVISSEUR ET QU'IL SE SOIT ÉVADÉ, QU'EST-IL DEVENU ? POURQUOI N'A-T-IL PAS DONNÉ SIGNE DE VIE AUTRE QUE L'APPEL TÉLÉPHONIQUE À HÉLÈNE ? PLUS AUCUNE TRACE DEPUIS JEUDI...

DÉCIDÉMENT, JE DÉTESTE LES MYSTÈRES ! IL Y EN A TROP AUTOUR DE CET AGENT ! C'ÉTAIT LA PIERRE ANGULAIRE DE MON PLAN POUR INFILTRER LA HAUTE LOGGIA, ET JE ME REMETS À DOUTER DE SA FIABILITÉ.

9

ROUMANIE, GIURGIU,
10 H 39.

BANLIEUE SUD, UNE USINE DÉSAFFECTÉE
DE TRAITEMENT DES DÉCHETS.

VOLTIGEUR I... LE BOURDON
ENTRE DANS L'USINE...

DOMINUS
VOBISCUM.

... ET CUM
SPIRITU TUO !

JE CRAINS QUE LE DOCTEUR
MUNGASH NE REFUSE DE
TRANSFÉRER LA MÈRE PORTEUSE
ET LA RUCHE DANS UN AUTRE
ENDROIT, MONSEIGNEUR... IL
CONSIDÈRE CETTE USINE COMME
SA FORTERESSE.

S'IL AGIT SEUL, NOUS DISPOSONS
DU TEMPS NÉCESSAIRE
POUR MENER L'OPÉRATION
JUSQU'À SON TERME...

IL N'EST PAS SEUL, COSTADI. ET
CEUX QUI L'EMPLOIENT JOUISSENT
DE MOYENS CONSIDÉRABLES ;
J'EN AI L'INTIME CONVICTION !

NOUS DEVRONS CEPENDANT LE
CONVAINCRE ; IL EST ÉVIDENT QUE LE
RECTIFICATEUR VA FOUILLER LA VILLE.

UNE RAISON DE PLUS POUR
JOUER L'EXTRÊME PRUDENCE,
MONSEIGNEUR GHISOLFO !
GIURGIU EST PEUT-ÊTRE DÉJÀ SOUS
SURVEILLANCE ET TOUT MOUVEMENT
DE NOTRE PART RISQUERAIT
D'ATTIRER L'ATTENTION, ALORS
QU'EN NE BOUGEANT PAS, NOUS...

LES SEPT PILIERS DE LA HAUTE LOGGIA
ONT PRIS LEUR DÉCISION, NOUS
DEVONS QUITTER CET ENDROIT !

IL Y A UN AUTRE PROBLÈME... MUNGASH VA VOUS EXPLIQUER.

MES RESPECTS, MONSEIGNEUR. J'AI ENTENDU DIRE QUE VOUS COMPTIEZ DÉPLACER LA MÈRE PORTEUSE... JE DOIS M'Y OPPOSER ; CELLE-CI A SOMBRÉ DANS UN PROFOND COMA ET SON CŒUR RISQUE DE LÂCHER À TOUT MOMENT. NOUS TENTONS DE FAIRE REMONTER SA TENSION.

À QUOI ATTRIBUEZ-VOUS CE SOUDAIN CHANGEMENT D'ÉTAT ?

LE TRANSFERT L'A CONSIDÉRABLEMENT AFFAIBLIE ; UN SECOND LUI SERAIT FATAL.

VOUS EST-IL POSSIBLE DE MAINTENIR LES SEULES FONCTIONS NÉCESSAIRES AU DÉVELOPPEMENT D'ADAM ?

VOUS ME DEMANDEZ DE SACRIFIER LA FEMME... DE N'EN FAIRE QU'UN VULGAIRE UTÉRUS !

L'UTÉRUS CONTENANT L'EMBRYON PORTANT L'A.D.N. DE KHOUNATON ET DE JÉSUS ! LE SANG NOIR COULE DANS LES VEINES D'ADAM, DOCTEUR... NOUS SOMMES EN TRAIN DE VAINCRE LA MORT !

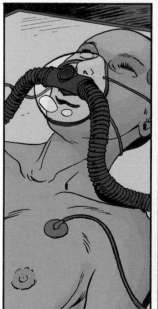

QUE TOUT SOIT PRÊT APRÈS-DEMAIN À 8 HEURES ; NOUS QUITTERONS GIURGIU... NOUS DEVONS PRENDRE LE RECTIFICATEUR DE VITESSE. VOUS RÉPONDREZ DE LA VIE DE LA MÈRE PORTEUSE, DOCTEUR. PEU M'IMPORTE COMMENT VOUS L'EMPÊCHEREZ DE MOURIR !

CE SONT LES ORDRES DES GARDIENS DU SANG, MUNGASH ! N'OUBLIEZ PAS VOTRE SERMENT D'ALLÉGEANCE.

13

CE MÊME JOUR, 19 H 34, DANS LE LABORATOIRE DE FORTUNE OÙ LE DOCTEUR CLARK EST RETENU PRISONNIER PAR LE RECTIFICATEUR.

ALORS, DOCTEUR CLARK ?

JE PENSE AVOIR TERMINÉ. J'AI ACHEVÉ LA RÉDACTION DU PROTOCOLE PERMETTANT LA STABILISATION DU GÈNE KLOTHO... TOUT EST DANS CES NOTES. ET MAINTENANT ?

J'ÉTAIS CERTAIN QUE VOUS Y PARVIENDRIEZ ; JE VOUS FÉLICITE.

ALLONS, LES LABOS DE L'ACADÉMIE SCIENTIFIQUE DU VATICAN TRAVAILLANT SUR LE PROJET GÉNOME-1 AVAIENT DÉFRICHÉ LE TERRAIN ! JE SUIS MÊME SÛR QU'ILS ONT ÉTÉ BIEN PLUS LOIN...

VOUS AVEZ RAISON ; C'EST POURQUOI MES EMPLOYEURS M'ONT CHARGÉ DE RECTIFIER LA SITUATION. ILS JUGENT QUE L'HUMANITÉ N'EST PAS SUFFISAMMENT RESPONSABLE POUR POUVOIR PARTAGER LE SECRET DE L'IMMORTALITÉ... OU CELUI DE LA LONGÉVITÉ.

J'AI RÉGLÉ LE CAS DE MUNDUS INTERNATIONAL QUI NE POURRA JAMAIS EXPLOITER CETTE RICHESSE. IL ME RESTE À INTERDIRE AU VATICAN DE REJOUER LA NATIVITÉ IN VITRO !

C'EST LE DERNIER ACTE, N'EST-CE PAS ? JE DOIS QUITTER LA SCÈNE...

12

JE SAIS... VOUS NE PARLEREZ PAS. VOUS AVEZ PRIS SOIN DE DÉFORMER VOTRE VOIX DANS LE HAUT-PARLEUR ; IL SE POURRAIT DONC QUE JE LA RECONNAISSE ?

PUISQUE CE SERONT MES DERNIÈRES PAROLES, ACCEPTEZ DE LES ÉCOUTER... LE PROFESSEUR NOMANE A INFILTRÉ LE LABO DU VATICAN POUR LE COMPTE DE LA B.I.S. LES GARDIENS DU SANG TOUCHAIENT AU BUT ; ILS AVAIENT QUASIMENT ACHEVÉ LE SÉQUENÇAGE DE L'A.D.N. MODIFIÉ PAR LE GÈNE KLOTHO...

... LA HAUTE LOGGIA A PRÉCIPITÉ LE PROJET GÉNOME-1 APRÈS AVOIR DÉCOUVERT QUE LES DISSIDENTS DONT JE FAISAIS PARTIE POUVAIENT RUINER LEURS EFFORTS. ET LE PROFESSEUR NOMANE, APRÈS AVOIR ENDOSSÉ LE MEURTRE DE MONSEIGNEUR MOTELLI, A CERTAINEMENT ÉTÉ ÉLIMINÉ...

JE PENSE PLUTÔT QUE C'EST L'HISTOIRE OFFICIEUSE QU'ON ESSAYE DE FAIRE AVALER À MONSIEUR GRÉGOIRE ET À LA B.I.S... AINSI QU'AU VATICAN !

C'EST SURTOUT CE QUE VOUS AVEZ FAIT GOBER À TOUS, RECTIFICATEUR ! EN RÉALITÉ, NOMANE A RÉELLEMENT TUÉ MOTELLI ET C'EST LUI QUI NOUS A TOUS MANIPULÉS ! IL ÉTAIT LE SEUL À POUVOIR FEINTER LES DEUX CAMPS... ET À AVOIR ACCÈS, DANS LA CHAMBRE DES MIRACLES, AU GÈNE KLOTHO DU SANG NOIR !

NOUS NOUS ARRÊTONS... MMH... ODEUR D'HERBE... VOUS AVEZ CHOISI UN ENDROIT ISOLÉ POUR ME LOGER UNE BALLE DANS LA TÊTE. LE DÉCOR EST-IL BEAU, AU MOINS ?

QUE SE PASSE-T-IL ? JE CROYAIS QUE...

... QUE VOUS SERIEZ ÉLIMINÉ, DOCTEUR CLARK ? LE GROUPE POUR LEQUEL NOUS TRAVAILLONS VOUS PORTE TROP DE RESPECT POUR LAISSER VOTRE VIE EN PÉRIL. N'OUBLIEZ PAS QUE VOUS ÊTES L'UNE DES DERNIÈRES CIBLES DES GARDIENS DU SANG !

LE RECTIFICATEUR AVAIT POUR MISSION DE VOUS PROTÉGER, OUTRE CELLE D'EMPÊCHER LE VATICAN ET MUNDUS D'OBTENIR LE GÈNE DE L'IMMORTALITÉ. JE VOUS CONDUIS DANS UN LIEU SÉCURISÉ... UN PETIT PARADIS OÙ VOUS POURREZ POURSUIVRE VOS RECHERCHES EN TOUTE SÉRÉNITÉ

JE SOUHAITERAIS DIRE QUELQUES MOTS À MON « ANGE GARDIEN » AVANT DE M'ENVOLER VERS CET ÉDEN...

QUE DE MANIPULATIONS, DE MACHINATIONS ET DE MENSONGES VOUS AVEZ EMPLOYÉS POUR PARVENIR À VOS FINS ! QUE DE SANG VERSÉ... OUI, VOUS ÊTES UN ANGE. L'ANGE SOMBRE ET TERRIFIANT DE L'APOCALYPSE !

JE VOUS PLAINS ET VOUS ADMIRE. VOUS DÉFENDEZ UNE CAUSE QUI ME DÉPASSE ET J'IGNORE QUELS SONT LES FANTÔMES QUI VOUS EMPLOIENT... MAIS À VOTRE MANIÈRE, QUE JE RÉPROUVE, VOUS REMETTEZ L'ORDRE DANS LE CHAOS ! OUI, JE VOUS PLAINS, PROFESSEUR NOMANE !

QUAND AVEZ-VOUS COMPRIS, MON AMI ?

LES DOSSIERS CONCERNANT LE GÈNE KLOTHO QUE VOUS M'AVEZ FOURNIS PORTAIENT VOTRE MARQUE ! UN SEUL ESPRIT SCIENTIFIQUE ÉTAIT CAPABLE DE RÉSUMER LES FORMULES DU VATICAN AUSSI CLAIREMENT : C'ÉTAIT LE VÔTRE, JEAN ?

14

UN COMMANDO D'ÉCLAIREURS EST DÉJÀ SUR PLACE POUR S'ASSURER QUE NOUS SOMMES SUR LA BONNE PISTE ET, LE CAS ÉCHÉANT, VOUS PRÉPARER LE TERRAIN. UNE BASE PROVISOIRE A ÉTÉ ÉTABLIE... VOUS RECEVREZ VOS ORDRES DÈS QUE NOS HOMMES AURONT OPÉRÉ UN REPÉRAGE.

DITES-MOI, JEAN, NE DEVIEZ-VOUS PAS FAIRE S'EFFONDRER L'EMPIRE MUNDUS ?

VOTRE EXIGENCE N'A D'ÉGALE QUE VOTRE CHARME. C'EST EN COURS, MADAME... LES ACTIONS EN BOURSE DE CETTE MULTINATIONALE NE DEVRAIENT PLUS TARDER À CHUTER ! J'AI DÉJÀ SUPPRIMÉ LE PRÉSIDENT DE CETTE HYDRE, QUI VENAIT DE DÉCOUVRIR MON IDENTITÉ.

JE ME SUIS ENGAGÉ À EFFACER TOUS LES CHERCHEURS, GROUPES OU LABOS QUI PARTICIPAIENT AU PROJET GÉNOME-1. IL NE RESTERA PLUS QUE DES RUINES APRÈS MON PASSAGE.

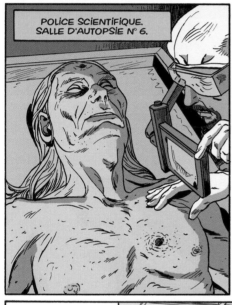

POLICE SCIENTIFIQUE. SALLE D'AUTOPSIE N° 6.

ALORS, JEAN-PAUL, VOTRE VERDICT ?

JE VIENS JUSTE DE RECEVOIR LE CLIENT... N'ATTENDEZ PAS DE MIRACLE AVANT QUE JE COMMENCE L'AUTOPSIE. PREMIÈRE BALLE TIRÉE DE FACE DANS LE CŒUR... SECONDE DANS LA TÊTE, IDEM... LES DEUX À BOUT PORTANT ET À UNE OU DEUX SECONDES D'INTERVALLE. L'ŒUVRE D'UN PERFECTIONNISTE !

PAS DE TRACE DE LUTTE ?

POUR L'INSTANT, AUCUNE... MAIS, TIENS !

OUI ?

PETITE BIZARRERIE ! CE N'EST PAS UNE GRIFFURE...

PLUTÔT UNE ENTAILLE SOIGNEUSEMENT PRATIQUÉE PAR UNE LAME ET, À EN JUGER PAR LA COULEUR DES LÈVRES DE LA PLAIE ET LE MANQUE D'ÉPANCHEMENT DE SANG, CETTE INCISION A ÉTÉ FAITE POST MORTEM.

VOTRE TUEUR EST UN ORIGINAL, MONSIEUR GRÉGOIRE !

16

UNE IMPROVISATION DU RECTIFICATEUR ?

CE TYPE N'IMPROVISE PAS, KELIAN ; IL NOUS MANŒUVRE À SA GUISE. TOUTES SES ACTIONS RÉPONDENT À UN PLAN DONT NOUS IGNORONS ET LES TENANTS ET LES ABOUTISSANTS.

VOUS NE MOUREZ PAS D'ENVIE DE SAVOIR CE QUE CONTIENT CETTE CLEF U.S.B. ? PEUT-ÊTRE UNE DEMANDE DE RANÇON EN ÉCHANGE DU PROFESSEUR NOMANE ? L'INDICATION DU LIEU OÙ EST CACHÉ LE SAINT GRAAL ?

FAITES-MOI GRÂCE DE VOTRE HUMOUR, VIRGINIE ; JE SUIS CREVÉ, LE MINISTRE ME HARCÈLE, LA PRESSE NE PARLE QUE DE L'ATTENTAT AU VATICAN, QUANT À JEAN NOMANE, JE N'AI PLUS D'ESPOIR DE LE RETROUVER VIVANT...

QU'ON PRÉLÈVE DES INDICES SUR CETTE CLEF, S'IL Y EN A, PUIS QU'ON L'ENVOIE À LA B.I.S. DÈS QU'ELLE EST PROPRE. ON CONTENTERA ALORS LA CURIOSITÉ DE VIRGINIE.

MERCI PATRON !

TUTTTUIiTTT

DEPUIS COMBIEN DE NUITS N'AI-JE PAS DORMI ? C'EST À CROIRE QUE SI JE FERME LES YEUX, LE MONDE S'ARRÊTE DE TOURNER !

QUELQUE CHOSE A BOUGÉ DANS LA FOURMILIÈRE, MADAME ?

LES PLANIFICATEURS ONT CERTAINEMENT VU JUSTE ; TROIS DE NOS AGENTS SONT EN APPROCHE DE L'USINE DONT JE VOUS AI PARLÉ TOUT À L'HEURE. ILS SONT MUNIS DE CAMÉRAS ; VOUS POURREZ SUIVRE EN DIRECT LEUR PROGRESSION.

TOUT EST OK, JE REÇOIS PARFAITEMENT. MAIS J'AURAIS AIMÉ AVOIR DU SON ET COMMUNIQUER AVEC EUX.

IMPOSSIBLE... DÉSOLÉE ! NOUS N'AVONS PAS VOULU PRENDRE LE RISQUE QUE LES GARDIENS DU SANG DÉTECTENT DES ONDES SONORES. ILS ONT DÛ TRUFFER LEUR BLOCKHAUS DE CAPTEURS.

17

VROUAAAQUUMMMM

JE PENSAIS QUE LE QUARTIER ÉTAIT SINISTRÉ... QUE FICHE CE CAMION-CITERNE DANS LE DÉCOR ?

PETROM

NOUS ALLONS L'APPRENDRE.

CETTE USINE D'INCINÉRATION DES DÉCHETS A CESSÉ TOUTE ACTIVITÉ EN 1987 ; LES RAPPORTS ME PROVENANT À L'INSTANT DU TRIUMVIRAT SONT FORMELS.

IL Y A QUELQUE CHOSE QUI CLOCHE, MADAME... POUR QUELLE RAISON LES GARDIENS DU SANG SE FERAIENT-ILS LIVRER DE L'ESSENCE ? ET SURTOUT UNE TELLE QUANTITÉ ?

NOS PLANIFICATEURS SE SONT PEUT-ÊTRE TROMPÉS SUR LA NATURE DU SITE. IL POURRAIT S'AGIR D'UN REPAIRE DE TRAFIQUANTS...

SI C'EST LE CAS, NOUS SOMMES EN TRAIN DE PERDRE UN TEMPS PRÉCIEUX. QUEL GÂCHIS !

PARFAIT, LE CAMION EST ARRIVÉ. VOUS VOYEZ, DOCTEUR MUNGASH, IL ME SUFFISAIT DE PASSER UN COUP DE TÉLÉPHONE POUR QU'UNE DEUXIÈME CELLULE ROUMAINE DE GARDIENS RÉAGISSE EN QUELQUES HEURES ! NOUS ABANDONNERONS LES LIEUX JEUDI MATIN, COMME CONVENU.

JE M'INCLINE CONTRE MA VOLONTÉ, MONSEIGNEUR. CAR JE PERSISTE À CROIRE QUE NOUS COURONS À LA CATASTROPHE.

CONTENTEZ-VOUS DE CONSERVER UN MINIMUM DE VIE DANS LES VEINES DE LA MÈRE PORTEUSE ET ÉVITEZ DE ME LIVRER VOS ÉTATS D'ÂME. HÂTEZ-VOUS DE PRÉPARER LE TRANSFERT !

CE SERA FAIT, MONSEIGNEUR.

NOM DE DIEU ! C'EST LUI... L'UN DE VOS AGENTS VIENT DE ZOOMER SUR LE CARDINAL GHISOLFO ! LES PLANIFICATEURS ONT TROUVÉ LA COUVEUSE.

GHISOLFO... L'HOMME QUE VOUS AVEZ TORTURÉ PSYCHOLOGIQUEMENT, L'UN DES PLUS ÉMINENTS ET INFLUENTS REPRÉSENTANTS DE LA HAUTE LOGGIA EN PERSONNE ; NOUS AVONS VU JUSTE : LA NOUVELLE ÈVE DU VATICAN EST ENTRE CES MURS...

INTRUSION SUSPECTE À L'ENTRÉE OUEST... HOMMES ARMÉS EN TENUE DE COMMANDO.

COMPRIS ! ÉLIMINATION IMMÉDIATE.

19

VENEZ À COUVERT, MONSEIGNEUR ! NOUS SOMMES INFILTRÉS... VÎTE, COUREZ !

ILS NOUS ONT DÉJÀ REPÉRÉS ! QUI SONT CES GENS ? QUELS MOYENS POSSÈDENT-ILS ?

PLUS TARD, ÉMINENCE... METTEZ-VOUS À L'ABRI.

CES PAUVRES TYPES VONT Y PASSER TOUS LES TROIS ! VOUS AURIEZ DÛ ENVOYER UNE ARMÉE, MADAME ! C'EST AU NAPALM QU'IL FAUT EXTERMINER CETTE ENGEANCE !

CE SERA VOTRE JOB, JEAN... MAIS EN FINESSE, CETTE FOIS ! QUANT À NOS ÉCLAIREURS, ILS SE SACRIFIENT POUR VOUS PRÉPARER LE TERRAIN. VOUS ÊTES BIEN PLACÉ POUR SAVOIR QU'UNE GUERRE NE SE FAIT PAS SANS EFFUSION DE SANG.

TACATAC!

PAW!

TAC!
TAC!

PAW!

CATACATAC!

CONNIE EST MORT... QUANT À BEN, IL A UNE BALLE DANS LE VENTRE. CONDUIS-NOUS À LA BASE À LA VITESSE DE LA LUMIÈRE, OU LUI AUSSI VA CLAQUER !

JE FAIS AU PLUS VITE, MAIS JE NE PEUX PAS ME PAYER LE LUXE DE ME FAIRE ARRÊTER PAR LES FLICS... NOUS N'EXISTONS PAS !

AUCUN DES CAMPS N'EXISTE, ICI. NI LES GARDIENS DU SANG NI NOUS... C'EST UNE GUERRE DE FANTÔMES !

OUI, UN COMBAT D'UN AUTRE ÂGE QUE LE RECTIFICATEUR VA DEVOIR CONCLURE. CONNIE, COMME NOUS TOUS, CONNAISSAIT LES RISQUES.

IL SERAIT BON QUE LE TRIUMVIRAT PRENNE UNE DÉCISION, MADAME. LE CARDINAL GHISOLFO NE VA PAS M'ATTENDRE LES MAINS JOINTES. IL EST DÉSORMAIS PLUS QUE JAMAIS SUR SES GARDES ET RISQUE DE DEMANDER DU RENFORT. LES GARDIENS DU SANG AU SERVICE DE LA HAUTE LOGGIA NE MANQUENT PAS.

CE NE SONT QUE DES MOTS. SAUF VOTRE RESPECT, MADAME, VOUS ME DÉBITEZ DES BANALITÉS CONVENUES ! UN COMMANDO A RISQUÉ SA VIE POUR QUE NOUS DÉCIDIONS UNE ACTION, PAS POUR QUE NOUS ÉCHANGIONS DES CONSIDÉRATIONS DE BASSE COMPASSION.

DES ANNÉES ? JUSTEMENT, N'OUBLIEZ PAS QUE POUR SERVIR LA CAUSE DURANT TOUT CE TEMPS, J'AI PERDU HÉLÈNE, MA FAMILLE, MES AMIS, MES COLLÈGUES... J'AI TRAHI LA B.I.S. ET MUNDUS INTERNATIONAL... J'AI ÉLIMINÉ MONSEIGNEUR MOTELLI... TANDIS QUE MON FILS QUENTIN SOMBRAIT DANS LA MALADIE ! LE TEMPS, JE CONNAIS !

JE DEVINE CE QUE VOUS RESSENTEZ, JEAN. J'ÉPROUVE LA MÊME ÉMOTION... ASSISTER AU MASSACRE DES NÔTRES EST UNE ÉPREUVE PÉNIBLE.

J'AI COMPRIS ; INUTILE D'ÊTRE GROSSIER. LE TRIUMVIRAT A VU LES IMAGES DE NOS AGENTS. IL NE TARDERA PAS À RÉAGIR. PENSEZ-VOUS QUE NOUS AYONS MIS EN ÉQUATIONS CE PLAN DEPUIS DES ANNÉES POUR LÂCHER PRISE MAINTENANT ?

JE VOUS AI DIT QUE J'AVAIS COMPRIS...

DANS CE CAS, RAPPELEZ-MOI RAPIDEMENT POUR ME SIGNIFIER QUE JE M'ENVOLE VERS LA ROUMANIE.

21

... JE ME DEVAIS DE VOUS PRÉVENIR. NOUS AVONS ENTREPRIS ICI UNE COURSE CONTRE LA MONTRE, CAR NOUS CRAIGNONS QUE NOS ENNEMIS ENGAGENT LE COMBAT DANS LES PROCHAINES HEURES.

LES COMMANDOS QUI SE SONT INTRODUITS DANS L'USINE ÉTAIENT PROBABLEMENT DES ÉCLAIREURS. CE QUE JE REDOUTE ?... LE RECTIFICATEUR, NATURELLEMENT ! VOUS CONNAISSEZ SES MÉTHODES !

VOUS SEREZ PARTI AVANT QU'IL INTERVIENNE. NOUS L'IMAGINONS MAL VOUS ASSAILLIR À LA TÊTE D'UNE ARMÉE ; CE N'EST PAS DANS SES HABITUDES. CET HOMME EST UN LOUP SOLITAIRE...

NÉANMOINS, DERRIÈRE LUI SE CACHE UNE PUISSANTE ORGANISATION JOUISSANT D'UNE LOGISTIQUE DE TYPE MILITAIRE ET D'ÉNORMES MOYENS FINANCIERS QUI METTENT EN PÉRIL L'AVENIR DE NOTRE PROJET À PLUS LONG TERME.

DANS L'IMMÉDIAT, IL CONVIENT UNIQUEMENT D'AMENER LA MÈRE PORTEUSE JUSQU'À LA NAISSANCE. LA HAUTE LOGGIA VA RÉFLÉCHIR AUX DIFFÉRENTES OPTIONS À CHOISIR POUR PLACER ENSUITE ADAM À L'ABRI. UN NOUVEAU-NÉ SE CACHE PLUS FACILEMENT QU'UNE ANTENNE MÉDICALE !

MARIE A ACCOUCHÉ SECRÈTEMENT DE JÉSUS DANS UNE ÉTABLE !

JE ME DEMANDERAI TOUJOURS COMMENT LES PRATICIENS DU PHARAON IMMORTEL SONT PARVENUS À RÉALISER EMPIRIQUEMENT L'ANTI-OXYDATION DU GÈNE NANOG ET À TRANSFORMER RADICALEMENT L'A.D.N. DE LEUR ROI... ÇA ME FICHE LE VERTIGE !

IMAGINONS QU'UNE CONNAISSANCE ANTÉDILUVIENNE AÏT SURVÉCU... NOS LOINTAINS – TRÈS LOINTAINS – ANCÊTRES, AVANT LES HOMMES PRÉHISTORIQUES, NE PORTAIENT PEUT-ÊTRE PAS DES PEAUX DE BÊTE EN CHASSANT AVEC DES SILEX, EUX !

VOUS ME FAITES UNE BLAGUE, LÀ ?

PAS DU TOUT ! LE SANG NOIR DE KHOUNATON DONT NOUS AVONS SCIENTIFIQUEMENT ÉLABORÉ LE SUBSTRAT EN TRIPLANT LA PRÉSENCE DE LACTASE GLYCOSYLCÉRAMIDE ET EN RENFORÇANT LE GÈNE KLOTHO N'EST PAS UNE BLAGUE !

ET CET EMBRYON QUI SE DÉVELOPPE DANS L'UTÉRUS DE CETTE SEMI-MORTE, EST-CE UNE PLAISANTERIE ? CET ÊTRE ÉTERNEL EN DEVENIR EST-IL UNE CHIMÈRE ?

NON, BIEN SÛR... NOUS CONCEVONS UNE ABERRATION !

LA DÉCISION VIENT D'ÊTRE PRISE. LE TRIUMVIRAT VOUS ENVOIE LE RECTIFICATEUR. VOUS IREZ LE CHERCHER À L'AÉROPORT HENRI-COANDĂ DE BUCAREST. IL ARRIVERA PAR LE VOL TAROM-9384 DE 19 H 40.

SOUS L'IDENTITÉ D'HENRI SAUVEUR, DIRECTEUR GÉNÉRAL DE METTALCO, UNE ENTREPRISE FANTÔME PLUS VRAIE QUE NATURE.

MERCREDI, 10 H 35.

SOUS QUELLE COUVERTURE VOYAGERA-T-IL ?

... « SAUVEUR » ! AMUSANT...

ÇA Y EST, LES GARS ! LES TROIS GROSSES TÊTES PENSANTES, QUI JOUENT AUX ÉCHECS AVEC LE MONDE, ONT AVANCÉ LEUR ULTIME PION... LE RECTIFICATEUR DÉBOULE CE SOIR.

LA DANSE MACABRE VA COMMENCER !

REFUGE OÙ HÉLÈNE, COMPAGNE DE JEAN NOMANE, EST PLACÉE SOUS PROTECTION.

HEUREUX DE VOUS VOIR, MONSIEUR GRÉGOIRE. CE N'EST PAS LE GRAND MORAL DU CÔTÉ DE LA PETITE... HÉLÈNE EST EN LARMES DANS SA CHAMBRE ET NE VEUT PAS EN DESCENDRE. L'HÔPITAL OÙ EST SOIGNÉ SON FILS QUENTIN VIENT DE L'APPELER. MAUVAISE NOUVELLE !

J'AI JETÉ UN ŒIL SUR LE DOSSIER MÉDICAL DU GAMIN... JE CRAINS QU'IL NE SOIT CONDAMNÉ.

TOC ! TOC ! TOC !

FOUTEZ-MOI LA PAIX !

HÉLÈNE, OUVREZ ; C'EST MOI, MONSIEUR GRÉGOIRE...

QUENTIN EST EN TRAIN DE MOURIR ! TOUT SEUL DANS SA CHAMBRE... SON PÈRE A DISPARU ET MOI, JE NE SUIS MÊME PAS À SON CHEVET !

NOUS ALLONS TENTER DE PRENDRE LE MOINS DE RISQUES POSSIBLE, MAIS JE VAIS VOUS FAIRE CONDUIRE À L'HÔPITAL PAR PHILIPPE ET SON ÉQUIPE.

24

REPAIRE DU RECTIFICATEUR.

VOUS M'ASSUREZ QUE SUR PLACE, JE DISPOSERAI DE MOYENS OPTIMUMS... LE TOP !

LE TRIUMVIRAT NE LÉSINE JAMAIS, JEAN ; VOUS LE SAVEZ PERTINEMMENT. LES MEILLEURS OUTILS SERONT À VOTRE DISPOSITION ; À VOUS DE SAVOIR LES UTILISER.

PETITES VACANCES ?

LÀ OÙ JE VAIS, ILS NE CONNAISSENT MÊME PAS LE MOT !

MERCI, MONSIEUR GRÉGOIRE. MERCI POUR TOUT CE QUE LA B.I.S. FAIT POUR MOI.

C'EST BIEN PEU EN COMPARAISON DE CE QUE VOUS AVEZ SUBI À CAUSE DE MA BRIGADE...

JEAN NOMANE S'EST SACRIFIÉ POUR DÉVOILER L'ABOMINATION GÉNÉTIQUE INITIÉE PAR LE VATICAN ET MUNDUS INTERNATIONAL... ET IL A RÉUSSI !

MALHEUREUSEMENT, COMME JE VOUS L'AI DIT, LE RECTIFICATEUR EFFACE TOUS LES ACTEURS DE CETTE AFFAIRE. JE N'AI PLUS BEAUCOUP D'ILLUSIONS... JE CRAINS DE NE PAS RETROUVER VIVANT VOTRE COMPAGNON, HÉLÈNE.

JE NE RÊVE PAS NON PLUS... ET JE NE VOUS REPROCHE RIEN ; JEAN A ACCEPTÉ VOTRE MISSION DE SON PLEIN GRÉ. C'ÉTAIT SON CÔTÉ IDÉALISTE. SON STYLE CHEVALIER BLANC !

25

LA MÉCANIQUE NE TOURNE PLUS COMME VOUS LE SOUHAITIEZ, N'EST-CE PAS ?

CE SONT LES ALÉAS DU MÉTIER D'AGENT SECRET, MATHILDE. ALLUMEZ BFM ET ATTENDEZ LE FLASH D'INFO ; VOUS VERREZ ALORS QUE LA B.I.S. A FAIT DU BON BOULOT MALGRÉ TOUT.

AH, VOUS AVEZ COMMENCÉ À FAIRE TOMBER DES TÊTES ?

ET DES GROSSES !

... D'UN SCANDALE DANS LE MILIEU SCIENTIFIQUE ! MUNDUS INTERNATIONAL, LE PUISSANT GROUPE QUI RÈGNE SUR LES INDUSTRIES MONDIALES PHARMACOLOGIQUE ET AGROALIMENTAIRE, ATTAQUÉ DEPUIS LONGTEMPS PAR LES PARTIS ÉCOLOGIQUES DE TOUS PAYS...

ET VOILÀ, LA MÈCHE EST ALLUMÉE !

... VA DEVOIR FAIRE FACE AUX ALLÉGATIONS CIRCULANT SUR LES MÉDIAS INTERNET DEPUIS CE MATIN, ET RÉPONDRE DES ACCUSATIONS DE MANIPULATIONS GÉNÉTIQUES ET D'EXPÉRIENCES BIOLOGIQUES SECRÈTES...

... C'EST UNE NÉBULEUSE COMPLÈTE DE FIRMES QUI APPARAÎT DANS LES DOCUMENTS LIVRÉS SUR LE NET. CITONS PARMI ELLES BIOLOGIC INC, ALATIUM ITA, SCHENER LIMITED... SI CES INFORMATIONS S'AVÉRAIENT FONDÉES, UN VÉRITABLE TSUNAMI RENVERSERAIT LES CONSORTIUMS LES PLUS INFLUENTS DE LA PLANÈTE. L'ATTENTAT RÉCENT AYANT COÛTÉ LA VIE À MONSIEUR NANZER, L'UN DES DIRIGEANTS DE MUNDUS, EST-IL À RAPPROCHER DE CES RÉVÉLATIONS ?

LE VATICAN N'EST PAS CITÉ !

JE M'EN SUIS ENTRETENU AVEC LE MINISTRE QUI EN A RÉFÉRÉ AU PRÉSIDENT. ON ÉPARGNE L'INSTITUTION RELIGIEUSE QUI PROCÉDERA ELLE-MÊME À SON NETTOYAGE.

VOUS TIREZ LES LAURIERS DE CETTE INDÉNIABLE RÉUSSITE, MONSIEUR GRÉGOIRE ; IL N'EMPÊCHE QUE LE MÉRITE EN REVIENT À VOS AGENTS... LE PROFESSEUR NOMANE EN PARTICULIER.

JE L'AVOUE, NOMANE A EFFECTUÉ UN BOULOT CONSIDÉRABLE DANS LA CHAMBRE DES MIRACLES... NOTRE JOB S'ARRÊTAIT LÀ ; LE RECTIFICATEUR TERMINE LE TRAVAIL POUR LE COMPTE DE JE NE SAIS QUI !

ROISSY, CHARLES-DE-GAULLE.

ROUMANIE, GIURGIU.

LA HAUTE LOGGIA VIENT DE ME PRÉVENIR... LA B.I.S. EST EN TRAIN DE FAIRE CIRCULER SUR LE NET LA LISTE DES FIRMES QUI ONT SOUTENU NOTRE PROJET ! TOUT L'ÉDIFICE S'EFFONDRE.

QUELLE EST LA RÉACTION DU PAPE ?

JE L'IGNORE. POUR L'INSTANT, MUNDUS EST DÉSIGNÉ COMME ÉTANT LE SEUL RESPONSABLE DU PROJET GÉNOME-I. J'IMAGINE QUE DES TRACTATIONS INTER-ÉTATS SONT EN COURS AVEC LE VATICAN.

ÇA NE SIGNIFIE PAS QUE NOUS SERONS ÉPARGNÉS. AU CONTRAIRE, C'EST DANS L'OMBRE QUE NOS ENNEMIS VONT TENTER DE NOUS ATTEINDRE POUR ÉVITER LES VAGUES MÉDIATIQUES.

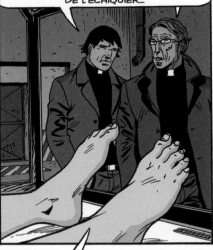

VOUS PENSEZ AU RECTIFICATEUR, BIEN SÛR. MAIS CE TUEUR N'A RIEN À VOIR AVEC TOUTES LES FORCES EN PRÉSENCE. C'EST L'ÉLECTRON D'UN GROUPE QUI S'EST INVITÉ DANS LA PARTIE...

... ET QUI CONNAÎT TOUTES LES PIÈCES DE L'ÉCHIQUIER...

... À QUEL ENDROIT ET QUAND VA-T-IL FRAPPER ?

JE DOIS ÊTRE SINCÈRE, HÉLÈNE. JE SAIS QUE VOUS REDOUTIEZ CE JOUR. LE PRONOSTIC VITAL DE QUENTIN EST ENGAGÉ.

COMBIEN DE MOIS ?

MALHEUREUSEMENT, C'EST EN SEMAINES, SINON EN JOURS, QUE NOUS DEVONS COMPTER. VOTRE FILS S'ÉTEINT... SON PROPRE SANG EMPOISONNE SON ORGANISME ET NOUS AVONS EU RECOURS À TOUT CE QUE LA MÉDECINE NOUS PERMETTAIT. SANS RÉSULTAT.

NOUS POUVONS DÉPLACER QUENTIN ET L'INSTALLER DANS UNE CHAMBRE QUE VOUS PARTAGERIEZ AVEC LUI.

EST-CE POSSIBLE, PHILIPPE ?

JE ME CHARGE DE TOUT.

LE MINISTÈRE PEUT ALLER SE FAIRE FOUTRE ; JE VEILLERAI MOI-MÊME SUR VOUS !

27

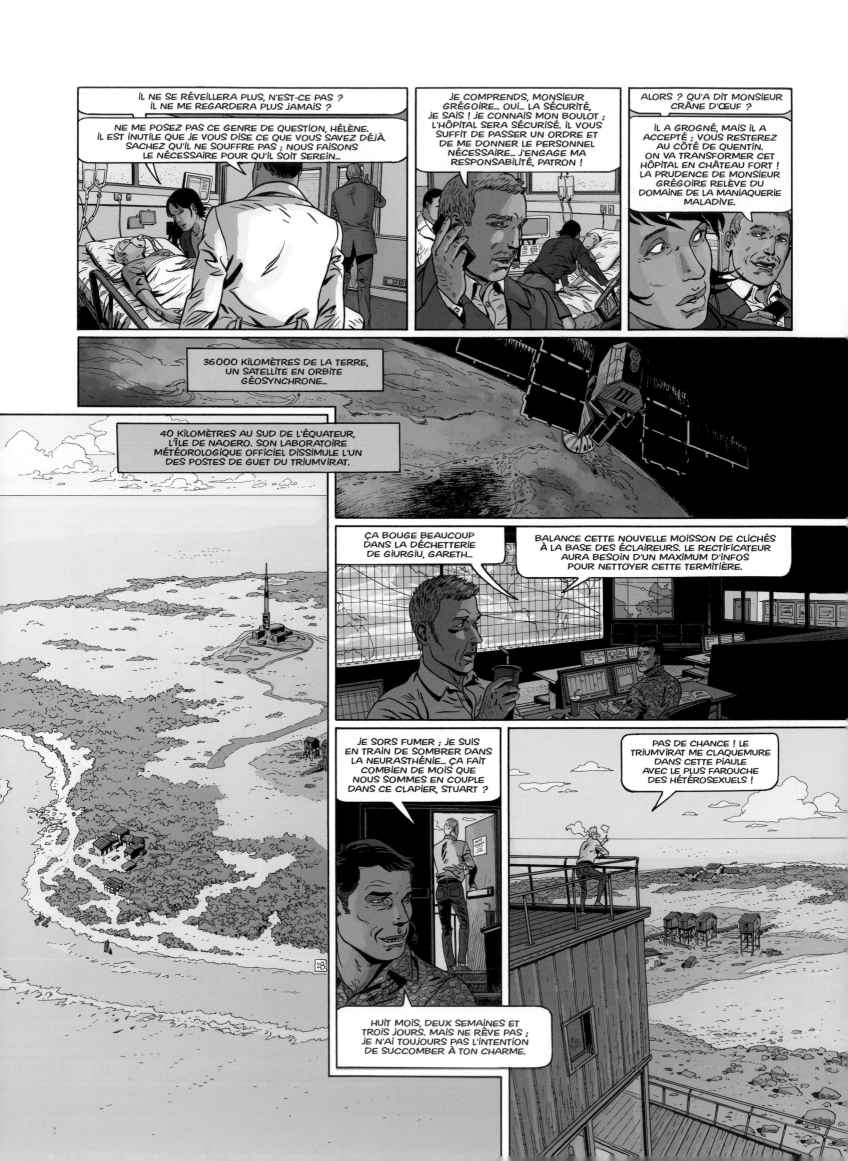

BUCAREST. AÉROPORT HENRI-COANDĂ, 19 H 45.

SOYEZ LE BIENVENU, MONSIEUR SAUVEUR. JE ME NOMME PETER LOCKWOOD. MAIS MES HOMMES M'APPELLENT LOCK. VOUS ÊTES ATTENDU COMME LE MESSIE DANS LA RIANTE BOURGADE DE GIURGIU. L'UNE DE VOS ANCIENNES RELATIONS, MONSEIGNEUR GHISOLFO, S'Y ACTIVE INTENSÉMENT... L'INTERVENTION NOCTURNE DE MON ÉQUIPE D'ÉCLAIREURS SEMBLE L'AVOIR FORTEMENT CONTRARIÉ.

IL PARAÎT QUE VOUS ÊTES CAPABLE D'ENDOSSER N'IMPORTE QUELLE IDENTITÉ... MAIS ON DIT AUSSI QUE LE RECTIFICATEUR EST UN PATRONYME QUI DISSIMULE PLUSIEURS AGENTS. TROIS ACTEURS POUR UN SEUL RÔLE, D'OÙ LE MYTHE DU SUPER-TUEUR ! UNE LÉGENDE OU LA RÉALITÉ ?

VOUS IMAGINEZ QUE JE SUIS AUTORISÉ À RÉPONDRE À CE GENRE DE QUESTION ?

AU MOINS, J'AURAI TENTÉ !

BONJOUR, LOCK. VOUS ALLEZ ME BRIEFER DURANT LE TRAJET.

J'AI HÂTE DE RETIRER CE DÉGUISEMENT ! DIX KILOS DE FAUX VENTRE, FAUX MENTON, FAUSSES ÉPAULES ! JE CREVAIS DE CHAUD DANS L'AVION...

DÉSOLÉ, VOUS DEVREZ VOUS PASSER DE DOUCHE ; NOUS AVONS MONTÉ NOTRE BASE DANS UN COLLECTEUR D'ÉGOUTS ASSÉCHÉ. CONFORT MINIMUM !

JE NE M'ATTENDAIS PAS À UN QUATRE-ÉTOILES... QUE DIT LE SATELLITE ?

LES GARDIENS DU SANG NE BOUGENT PAS DE LA DÉCHETTERIE. ILS S'AFFAIRENT AUTOUR DU CAMION-CITERNE QU'ILS ONT FAIT VENIR. VOUS ÊTES AU COURANT ?

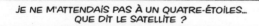

OUI, J'AI VU LES VIDÉOS. EN DIRECT ! VOUS AVEZ PERDU UN HOMME DANS LA FUSILLADE. UN DEUXIÈME A ÉTÉ TOUCHÉ. IL S'EN SORTIRA ?

NOTRE TOUBIB LUI A EXTRAIT UNE BALLE DE L'ABDOMEN. IL SEMBLERAIT QUE LES DÉGÂTS NE SOIENT PAS IRRÉMÉDIABLES. N'EMPÊCHE, PLUS TÔT NOUS L'EXFILTRERONS, PLUS IL AURA DE CHANCES DE S'EN TIRER.

MALHEUREUSEMENT, IL DEVRA ATTENDRE. DEPUIS VOTRE ACCROCHAGE, LA HAUTE LOGGIA EST À L'AFFÛT DU MOINDRE BATTEMENT DE CILS DE NOTRE PART. CEPENDANT, JE VOUS ASSURE QUE JE FERAI TOUT POUR QUE MA MISSION SOIT LA PLUS COURTE POSSIBLE.

C'EST LA LOI DE LA GUERRE, LOCK. ENCORE PLUS CYNIQUE QUAND CETTE GUERRE EST SOUTERRAINE.

DE BELLES PHRASES À DIRE AUX FAMILLES DES VICTIMES, « MONSIEUR SAUVEUR » !

JE COMPRENDS, LE TRIUMVIRAT N'ÉPROUVE AUCUN ÉTAT D'ÂME À SACRIFIER SES AGENTS. SEUL COMPTE LE RÉSULTAT, N'EST-CE PAS ?

VOUS POUVEZ RETIRER VOTRE PANOPLIE ICI. ENSUITE, NOUS VOUS MONTRERONS LES CLICHÉS DU SATELLITE. J'AIMERAIS BIEN SAVOIR CE QUE LES GARDIENS DU SANG MANIGANCENT AVEC CE FOUTU CAMION-CITERNE !

J'AI MA PETITE IDÉE LÀ-DESSUS... SI J'AI RAISON, NOUS DEVRONS INTERVENIR TRÈS RAPIDEMENT. J'AURAI BESOIN DE LA YAMAHA.

ELLE VOUS ATTEND, BOOSTÉE PAR DES MÉCANOS HORS PAIR. UN VÉRITABLE BOLIDE... TEL QUE VOUS L'AVEZ DEMANDÉ.

HEUREUX DE FAIRE ENFIN LA CONNAISSANCE DU FAMEUX RECTIFICATEUR ! VOUS N'ÊTES DONC PAS UN FANTÔME...

VOUS VOUS TROMPEZ... JE SUIS DÉJÀ MORT PLUSIEURS FOIS. LA MORT EST MON MEILLEUR DÉGUISEMENT. LES SPECTRES PASSENT PARTOUT SANS ÊTRE REMARQUÉS.

COMBIEN DE VOLTIGEURS AVEZ-VOUS RECENSÉS DANS L'USINE ?

DIFFICILE À ÉVALUER. ÇA CANARDAIT DE PARTOUT. UNE DOUZAINE, PEUT-ÊTRE, À EN JUGER SUR LES IMAGES THERMIQUES DU SATELLITE... EN TOUT CAS, JE PEUX AFFIRMER QUE GHISOLFO S'EST ENTOURÉ DE L'ÉLITE DES GARDIENS. CES TYPES VISENT JUSTE ET SONT PARTICULIÈREMENT BIEN ARMÉS.

C'EST QUOI, CE TUBE ? UNE ARME SECRÈTE ?

VOUS POSEZ TROP DE QUESTIONS, LOCK. NÉANMOINS, COMME NOUS ALLONS RISQUER NOTRE PEAU ENSEMBLE DANS LE DERNIER COMBAT LIVRÉ CONTRE LE VATICAN, JE VOUS CONSIDÈRE COMME UN FRÈRE D'ARMES...

ET, EN CONSÉQUENCE, JE VOUS DIRAI QUE CE TUBE CONTIENT QUELQUES MOLÉCULES DE VIE.

JE ME SATISFERAI DE CETTE RÉPONSE. JE PRÉFÈRE NE PAS EN SAVOIR PLUS. VOUS AVEZ RAISON, JE SUIS TROP CURIEUX. LES RÉSURRECTIONS ET AUTRES RETOURS ARTIFICIELS DU TRÉPAS ME DONNENT LE VERTIGE ! QU'ON EN TERMINE ENFIN AVEC GÉNOME-1. DÉFIER LA MORT EST MALSAIN...

POURTANT, CERTAINS DÉCÈDENT TROP JEUNES. DES GOSSES ATTEINTS DE MALADIES INCURABLES QUI ÉTOUFFENT LENTEMENT DANS LEUR CHAMBRE D'HÔPITAL... VOUS VOUS TROMPEZ, LOCK; DÉFIER LA MORT EST UN DEVOIR ! IL FAUT JUSTE LAISSER LES SCIENTIFIQUES S'EN CHARGER, ET NON LES RELIGIEUX.

C'EST BON, LE PATRON M'ENVOIE DEUX DE SES LIEUTENANTS ET TROIS HOMMES, SPÉCIALISTES DE LA PROTECTION DES GROSSES LÉGUMES... TOUJOURS AUCUN SIGNE DE VIE DE JEAN NOMANE.

NOUS LAISSERONS À MONSIEUR GRÉGOIRE LE SOIN DE VOUS EN PARLER. IL EST LÉGITIME QUE LA CORVÉE LUI REVIENNE. IL ÉVOQUERA LE JEUNE PROFESSEUR IDÉALISTE QU'IL A ARRACHÉ À SES RECHERCHES EN GÉNÉTIQUE POUR LE JETER DANS LES LABOS DU VATICAN ET DE MUNDUS...

CES ESPIONS SONT DE SIMPLES NOMS QU'ON EFFACE D'UNE PRESSION SUR LA TOUCHE DELETE D'UN CLAVIER. C'EST UN COMBAT VIRTUEL, HÉLÈNE. JE REGRETTE DE DEVOIR VOUS DIRE, PAR EXPÉRIENCE, QUE LE CORPS DE JEAN SERA SANS DOUTE REPÊCHÉ UN PROCHAIN JOUR DANS UN FLEUVE... OU DÉCOUVERT DANS UNE CARCASSE DE VOITURE.

UN JOUR, PHILIPPE, VOUS PRENDREZ LE TEMPS DE M'EXPLIQUER QUEL ÉTAIT VÉRITABLEMENT LE RÔLE DE JEAN DANS CETTE AFFAIRE.

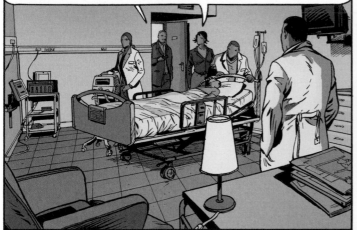

COMBIEN D'AGENTS INFILTRÉS ONT PERDU LA VIE DANS DES OPÉRATIONS DE CE TYPE?

ON CONCLURA À UN ACCIDENT OU UN SUICIDE ! ON SE SERT DES HOMMES COMME DES KLEENEX DANS VOTRE MONDE ! AUCUNE MORALE, AUCUNE VÉRITÉ !

QU'EN DITES-VOUS ?

VOS ÉCLAIREURS NE SE SONT PAS SACRIFIÉS EN VAIN. ILS ONT SEMÉ LA PANIQUE DANS LE CAMP DE GHISOLFO... MONSEIGNEUR TENTE DE NOUS PRENDRE DE VITESSE EN DÉMÉNAGEANT LA COUVEUSE.

BON DIEU ! ILS ONT L'INTENTION D'UTILISER LE CAMION-CITERNE POUR TRANSPORTER LA MÈRE PORTEUSE...

AVOUEZ QUE C'EST UNE TROUVAILLE DE GÉNIE ; FAIRE VOYAGER LA NOUVELLE VIERGE MARIE ET L'ENFANT JÉSUS DANS UN CAMION D'ESSENCE, C'EST COCASSE ET INATTENDU !

PAR CONTRE, ÇA NE FACILITE PAS VOTRE TÂCHE. AUREZ-VOUS LE TEMPS DE VOUS IMMISCER DANS L'USINE AVANT QUE LES RATS QUITTENT LE NAVIRE ?

JE NE PENSE PAS. IL VA ME FALLOIR RÉVISER MON PLAN ET LE SAUPOUDRER D'UNE BONNE DOSE D'IMPROVISATION, CE QUI N'EST PAS DANS MES HABITUDES. GHISOLFO MANŒUVRE HABILEMENT ; EN PRENANT LE RISQUE DE DÉPLACER LE CHAMP DE BATAILLE À L'EXTÉRIEUR, IL ME CONTRAINT À OUVRIR MA GARDE.

TOUTE LA PYRAMIDE DU PROJET GÉNOME-1 EST EN TRAIN DE S'EFFONDRER, MONSEIGNEUR. NOS PARTENAIRES SONT TOUCHÉS AU PLUS HAUT NIVEAU, LE SCANDALE SE RÉPAND À TRAVERS LE MONDE. L'OMS RÉUNIT UNE ASSEMBLÉE EXTRAORDINAIRE DEMAIN À LA DEMANDE DES FRANÇAIS ET DES ALLEMANDS.

NOUS N'AVONS DÉSORMAIS QU'UNE UNIQUE MISSION À HONORER : MENER LE DÉVELOPPEMENT D'ADAM À SON TERME. PEU M'IMPORTE QUE NOUS LAISSIONS UN CHAMP DE RUINES DERRIÈRE NOUS !

À CONDITION QUE NOUS PARVENIONS À ÉCHAPPER AU RECTIFICATEUR.

DOCTEUR MUNGASH, CONSTATEZ QUE NOUS SERONS PRÊTS À TEMPS POUR QUITTER GIURGIU COMME JE LE SOUHAITAIS. NOUS PASSERONS LE DANUBE ET TRAVERSERONS LA BULGARIE POUR REJOINDRE LA FRONTIÈRE GRECQUE.

NOUS PASSERONS ENTRE LES GOUTTES, COSTADI, ET, MÊME SI NOUS SOMMES ÉCLABOUSSÉS, LE VATICAN NE SERA PAS IMPLIQUÉ. MUNDUS ÉTAIT NOTRE ÉCRAN DE PROTECTION.

MONSEIGNEUR, VOUS CROYEZ QUE LA FOI DÉPLACE LES MONTAGNES ! EN TANT QUE SCIENTIFIQUE, JE SUIS NETTEMENT PLUS PRAGMATIQUE. NOUS ALLONS IMPOSER UN TRÈS LONG VOYAGE À NOTRE MÈRE PORTEUSE DANS DES CONDITIONS QUE JE DÉPLORE.

JEUDI, 6 HEURES 35, AU VATICAN.

GIURGIU EST SUR LE DANUBE ; LE CONVOI TRAVERSERA LE FLEUVE PAR LE PONT DE L'AMITIÉ AFIN DE REJOINDRE ROUSSÉ...

C'EST LÀ QUE GHISOLFO OPÉRERA LA JONCTION AVEC LES GARDIENS DU SANG QUE NOUS AVONS RÉVEILLÉS EN BULGARIE ?

EN EFFET, ILS RENFORCERONT L'ESCORTE DU CAMION-CITERNE POUR FAIRE FACE À L'ÉVENTUALITÉ D'UNE INTERVENTION DE NOS ENNEMIS ENTRE ROUSSÉ ET SOFIA... JE PENSE QUE CEUX-CI N'OSERONT RIEN EN VILLE.

FAISONS CONFIANCE À NOS VOLTIGEURS ; ILS SONT ENTRAÎNÉS ET JE MISE SUR LEUR CAPACITÉ À RÉPONDRE À UNE ATTAQUE. NOS ADVERSAIRES NE SE RISQUERAIENT PAS À AGRESSER LE CORTÈGE AU LANCE-ROQUETTE, TOUT DE MÊME !

MAIS NOUS AVONS TOUT À REDOUTER EN PLEINE CAMPAGNE !

LE RECTIFICATEUR A CEPENDANT FAIT EXPLOSER LA CHAMBRE DES MIRACLES ET UNE LOGE MAÇONNIQUE PARISIENNE*... CE TUEUR NE S'EMBARRASSE PAS DE PRÉJUGÉS ET UTILISE DES ARMES DE GUERRE.

7 HEURES 32.

NOUS RECEVONS DE NOUVELLES PHOTOS SATELLITE !

BREAK, COURS CHERCHER LOCK ET SAUVEUR ; ILS DOIVENT VOIR ÇA... JE PENSE QU'ON NE VA PAS TARDER À BOUGER.

ENFIN ! J'AI UN COMPTE À RÉGLER AVEC LES SBIRES DE LA HAUTE LOGGIA QUI ONT TUÉ CONNIE ET AMOCHÉ BEN.

COMMANDANT, LE CAMION-CITERNE A ÉTÉ DÉPLACÉ, DANS LA DÉCHETTERIE.

GHISOLFO DÉMÉNAGE LA COUVEUSE !

* LIRE LES CHAPITRES PRÉCÉDENTS.

REGARDEZ, LOCK... ILS SORTENT LE SARCOPHAGE CONTENANT LA MÈRE PORTEUSE D'ADAM. ILS VONT CERTAINEMENT ABANDONNER LEUR BASE DANS LES HEURES QUI VIENNENT. LE SATELLITE NE DOIT PLUS LES LÂCHER D'UN PIXEL ! QUANT À NOUS...

COMPRIS ! JE PLACE TOUS LES HOMMES SUR LE PIED DE GUERRE ; NOUS NOUS METTONS SOUS VOTRE COMMANDEMENT, SAUVEUR. J'ATTENDS VOS ORDRES.

RESTE À DÉCOUVRIR TRÈS VITE QUEL EST LEUR PLAN DE REPLI. QU'ON ME TRANSFÈRE À PARTIR DE MAINTENANT TOUTES LES DONNÉES SUR MON MATOS PORTABLE.

IL EST POSSIBLE QU'ON NOUS DEMANDE NOS PAPIERS ; NOS CARTES D'IDENTITÉ SONT-ELLES EN RÈGLE ?

TOUTES SONT PLUS VRAIES QUE VRAIES. ET NOS ARMES SERONT SI PARFAITEMENT DISSIMULÉES DANS LES VÉHICULES QU'IL FAUDRAIT ÊTRE UN PETIT GÉNIE POUR LES DÉNICHER.

NOUS AURONS À PEINE 450 KM À PARCOURIR À PARTIR DE ROUSSÉ. NOTRE ITINÉRAIRE NOUS FERA PASSER PAR PLEVEN, LUKOWÏT, ETROPOLE... NOUS DEVRIONS METTRE MOINS DE SIX HEURES POUR GAGNER SOFIA EN ROULANT À UNE ALLURE RAISONNABLE.

SIX HEURES DANS CETTE CUVE ! C'EST DE LA FOLIE !

LA VIERGE MARIE ET JOSEPH N'ONT-ILS PAS FUI, TOUT COMME NOUS, POUR DONNER NAISSANCE À JÉSUS QUI ÉTAIT MENACÉ ? ADMETTEZ ENFIN QUE DIEU EST DE NOTRE CÔTÉ, DOCTEUR MUNGASH !

7 HEURES 44.

JE M'IDENTIFIE : « MENAHHEM ». ENTAMEZ LA PHASE EFFACEMENT-J.N... VOUS FINISSEZ DE TRAITER LE CORPS POUR LE DERNIER ACTE DÈS MAINTENANT ! ULTIME MAQUILLAGE AVANT LE SALUT FINAL...

BIEN REÇU... JE CONFIRME : DÉCLENCHEMENT DU PROCESSUS DE DISPARITION DÉFINITIVE DE JEAN NOMANE.

SERONS-NOUS ASSEZ NOMBREUX POUR OPÉRER UNE INTERCEPTION ?

LE SATELLITE NOUS AIDERA À ÉVALUER LA DIRECTION QUE PRENDRA GHISOLFO AVEC SON CONVOI... NOUS ENVISAGERONS ALORS L'ENDROIT IDÉAL POUR LUI SAUTER À LA GORGE. BIEN SÛR, J'AURAIS PRÉFÉRÉ INTERVENIR DANS LA DÉCHETTERIE, CONFINER L'ATTAQUE ENTRE SES MURS ; LE NETTOYAGE AURAIT ÉTÉ PLUS FACILE ! PLUS DISCRET...

À CE PROPOS, NI MADAME NI VOUS NE M'AVEZ ENCORE DIT LE GENRE DE NETTOYAGE QUE VOUS AVIEZ PLANIFIÉ.

ABRASIF, LOCK ! LE RÉCURAGE TOTAL... MAIS JE SUIS PAYÉ POUR PRENDRE TOUS LES RISQUES ; JE DIRIGERAI L'ABORDAGE ! EN CE QUI CONCERNE MON PLAN, JE VOUS EN FERAI PART QUAND J'AURAI PLUS D'INFORMATIONS SUR LA DESTINATION DE LA COUVEUSE.

8 HEURES 12.

BONJOUR MONSIEUR GRÉGOIRE. LE PETIT A PASSÉ UNE TRÈS MAUVAISE NUIT...

NOUS AVONS TOUS CRU QUE CE SERAIT LA DERNIÈRE ; IL S'EST ARRÊTÉ DE RESPIRER À DEUX REPRISES. LES TOUBIBS L'ONT RAMENÉ... POUR COMBIEN DE TEMPS ? HÉLÈNE TIENT LE COUP GRÂCE AUX ANTIDÉPRESSEURS.

SALOPERIE D'ÉPREUVE QUE VIT CETTE FEMME... ET AU NIVEAU DE LA SÉCURITÉ, ÇA SE PASSE BIEN ?

NOUS ESSAYONS DE NOUS RENDRE INVISIBLES, CE QUI N'EST MANIFESTEMENT PAS UNE RÉUSSITE AVEC DES MOLOSSES DE DEUX MÈTRES DE HAUT ET DE CENT VINGT KILOS ! LA DIRECTION RÂLE UN PEU...

ELLE HURLERAIT SI UN GARDIEN DU SANG PARVENAIT À S'INFILTRER POUR ÉLIMINER NOTRE DERNIER TÉMOIN.

DANS VOTRE MACHINATION, HÉLÈNE EST PLUS UN APPÂT QU'UN TÉMOIN, SAUF VOTRE RESPECT. JE PENSE MÊME QUE VOUS RÊVEZ QUE LES GARDIENS POINTENT LEUR NEZ, N'EST-CE PAS ?

J'AVOUE QUE JE SERAIS HEUREUX D'EN ATTRAPER UN OU DEUX POUR TITILLER LE VATICAN.

DRRR ! DRRR !

QUOI ? MAIS, NOM DE DIEU, JE VOUS CROYAIS MORT... OÙ ÊTES-VOUS, NOMANE ? D'OÙ M'APPELEZ-VOUS ?

TU AS ENTENDU LA MÊME CHOSE QUE MOI, VIRGINIE ?

OUI, KELIAN... À PARTIR D'AUJOURD'HUI, JE CROIS AUX MIRACLES ; JEAN NOMANE EST VIVANT !

DONNEZ-MOI VOS COORDONNÉES, JEAN... AVEZ-VOUS BESOIN D'AIDE ?

JE SUIS TRAQUÉ PAR PLUSIEURS VOLTIGEURS... J'AI RÉUSSI À LEUR FAUSSER COMPAGNIE... J'IGNORE OÙ JE SUIS... PAS DE G.P.S. SUR LE PORTABLE QUE J'AI PIQUÉ !

... SUIS DANS UN BOIS ! JE CHERCHE UNE ROUTE... UN PANNEAU... VOUS RAPPELLERAI... PAS ASSEZ DE BATTERIE !

TROUVEZ VITE UNE INDICATION, UNE INFO SUR VOTRE SITUATION, ET JE VOUS ENVOIE UNE ÉQUIPE !

PREMIÈRE ÉTAPE RÉUSSIE : MONSIEUR GRÉGOIRE A MORDU À L'HAMEÇON ! LE PROFESSEUR JEAN NOMANE S'EFFACE PROGRESSIVEMENT... IL SE DISSOUT LENTEMENT. DOMMAGE QUE TU NE SOIS PAS EXPANSIF, MATTEI ! UN PETIT HOURRA DE FÉLICITATION M'AURAIT SATISFAITE. JE ME SUIS BIEN DÉBROUILLÉE AVEC LE CLAVIER PHONIQUE, NON ?

CONDUISEZ-MOI À LA CHAMBRE DE QUENTIN ; HÉLÈNE DOIT SAVOIR... JE VOUS JURE DE REMUER CIEL ET TERRE POUR RETROUVER NOMANE ! LA B.I.S. L'A FICHU DANS CE MERDIER, C'EST À MOI DE L'EN SORTIR.

LE CHEF NOUS FERAIT UNE PETITE POUSSÉE DE CULPABILITÉ ?

HÉLÈNE... C'EST NOUS. MONSIEUR GRÉGOIRE AIMERAIT VOUS PARLER.

MONSIEUR GRÉGOIRE... QUENTIN, CETTE NUIT...

JE SAIS ET JE PARTAGE VOTRE INQUIÉTUDE. PEUT-ÊTRE TROUVEREZ-VOUS DU RÉCONFORT EN APPRENANT QUE JE VIENS DE RECEVOIR UN COUP DE FIL DE JEAN ? TOUT ESPOIR NOUS EST PERMIS.

JEAN EST VIVANT... ?

IL S'EST ENFUI DE L'ENDROIT OÙ LES GARDIENS DU SANG LE MAINTENAIENT PRISONNIER. IL SERAIT ACTUELLEMENT POURSUIVI... JE N'EN SAIS PAS PLUS, MAIS J'ATTENDS DE SES NOUVELLES D'ICI PEU AFIN DE RÉAGIR AU MIEUX DE SES INTÉRÊTS... AYEZ CONFIANCE, HÉLÈNE...

... JEAN NOMANE EST COMME LES CHATS ; IL POSSÈDE NEUF VIES ! IL NE LES A PAS TOUTES ÉPUISÉES.

ILS ONT OUVERT LES PORTES. LES TYPES AUX COMMANDES DU SATELLITE ONT INTÉRÊT À SE SURPASSER !

VOUS AVEZ PRESQUE RAISON, LOCK. LES AGENTS DE NAOERO NE LÂCHENT PAS LEUR CIBLE. JE REÇOIS LEURS IMAGES... NOUS PRENONS UN SACRÉ AVANTAGE SUR LES GARDIENS DU SANG EN LES SUIVANT DU CIEL.

NE STRESSEZ PAS, SAUVEUR ; CE SONT DES VIRTUOSES. DES MOZART DU CLAVIER ! EN CE MOMENT MÊME, JE VOUS PARIE QU'ILS ME VOIENT ME BATTRE AVEC LA FLAMME DE MON BRIQUET.

CE QUI NOUS PERMET DE LEUR LAISSER SUFFISAMMENT DE CHAMP ET DE NE PAS NOUS FAIRE REMARQUER.

... QUATRE VOITURES BOURRÉES DE VOLTIGEURS... DEUX DEVANT LE CAMION-CITERNE, DEUX DERRIÈRE... IL NE NOUS RESTE PLUS QU'À ATTENDRE DE SAVOIR QUELLE ROUTE LE CONVOI VA EMPRUNTER. TOUT MON PLAN REPOSE SUR VOS SURDOUÉS ET LEUR SATELLITE.

ET SCIENTIFIQUES, LOCK ! JE SUIS BIEN PLACÉ POUR LE SAVOIR.

LE TRIUMVIRAT NE GÂCHE PAS SON ARGENT DANS D'INUTILES GADGETS, SAUVEUR. ON PEUT AVOIR L'ASSURANCE QUE SON MATÉRIEL EST OPÉRATIONNEL. N'OUBLIEZ PAS QUE NOS MYSTÉRIEUX PATRONS ONT UN DEMI-SIÈCLE D'AVANCE DANS TOUS LES DOMAINES TECHNOLOGIQUES.

SI NOUS FAISONS AMI-AMI, JE SERAIS CURIEUX DE CONNAÎTRE VOTRE PARCOURS. COMMENT UNE SOMMITÉ EN BIOGÉNÉTIQUE PEUT-ELLE SE DOUBLER D'UN TUEUR PROFESSIONNEL ?

TOUT SE PASSERA BIEN, COSTADI. CESSEZ DE VOUS TRÉMOUSSER COMME UNE VIERGE FOLLE. DANS MOINS DE TRENTE MINUTES, NOUS AURONS TRAVERSÉ LE DANUBE ET ATTEINT ROUSSÉ OÙ LES VOLTIGEURS BULGARES SE JOINDRONT À NOUS.

PENSEZ-VOUS VRAIMENT QUE L'ORGANISME DE CETTE FEMME TIENDRA JUSQU'À SOFIA, DOCTEUR MUNGASH ?

PUISQUE MONSEIGNEUR GHISOLFO LE CROIT, NOUS FERONS TOUT POUR QUE SON VŒU SOIT EXAUCÉ. EN PRATIQUANT L'EXOGREFFE, J'AI DÉJÀ OUTREPASSÉ LES DROITS D'UN SIMPLE MORTEL... J'AI PRIS LA PLACE DE DIEU ! JE CONTINUE D'EN ASSUMER L'EFFROYABLE CHARGE. CE PETIT MESSIE NAÎTRA... ET CETTE FOIS, IL SERA IMMORTEL.

DEPUIS L'ATTAQUE DE LA DÉCHETTERIE, JE M'ATTENDS À CHAQUE INSTANT À CE QUE NOS ADVERSAIRES NOUS TOMBENT DESSUS.

36

POSTE-FRONTIÈRE ROUMAIN, 9 HEURES 47.

PRENEZ CE CIGARE, MON AMI... VOUS VOYEZ, NOTRE PLAN SE DÉROULE PARFAITEMENT. NOUS FRANCHISSONS LE DANUBE COMME D'ANONYMES VOYAGEURS.

EN EFFET, MONSEIGNEUR. JE COMMENCE À CROIRE QUE LA CHANCE NOUS SOURIT, CETTE FOIS. NOUS NOUS ÉLOIGNONS DU DANGER. J'ACCEPTE VOLONTIERS L'UN DE VOS EXCELLENTS COHIBA.

LE SATELLITE EST TOUJOURS AUSSI PRÉCIS ET LES DEUX TYPES DE NAOERO FONT UN MAGNIFIQUE TRAVAIL DE TRAITEMENT DES CLICHÉS. SAUVEUR SE TROUVE EXACTEMENT À UN KILOMÈTRE À L'ARRIÈRE DU CORTÈGE DES GARDIENS DU SANG... ET NOUS... À TROIS KILOMÈTRES DE LUI. TOUT EST OK.

ON SE CROIRAIT EN PLEIN JEU VIDÉO !

M'OUI, BREAK... À LA DIFFÉRENCE QUE L'ÉPISODE SE CONCLURA DANS DU VRAI SANG.

JE N'ÉPROUVE PAS D'ÉTAT D'ÂME À ÉLIMINER CES ALCHIMISTES MODERNES, CHEF !

MONSEIGNEUR EST EN BULGARIE... BIEN ! LE CHIEN PENSE COURIR LIBREMENT, MAIS IGNORE QUE JE TIENS SA LAISSE. COMMENT POURRAIT-IL DEVINER QUE JE MÈNE LE BAL À MON TEMPO ?

JE M'IDENTIFIE : « MENAHHEM ». IL EST L'HEURE D'ALLER À LA PÊCHE AUPRÈS DE MONSIEUR GRÉGOIRE. JE DOIS SAVOIR DE QUEL DÉLAI JE DISPOSE.

... AU SUJET DE VOTRE FILS, N'EST-CE PAS ? JE M'EN CHARGE ET VOUS RAPPELLE AUSSITÔT.

TU SAIS, MATTEI, JE REDOUTE LE PIRE. LE BOSS COURT APRÈS LE TEMPS... SON GOSSE EST FICHU ET IL REFUSE DE L'ADMETTRE. CE QUI NE SEMBLE PAS T'ÉMOUVOIR. PARFOIS JE ME DEMANDE SI, DERRIÈRE TON AUTISME DE PETIT GÉNIE, TU NE DISSIMULES PAS UN CŒUR DE PIERRE !

OUI... ? AH, C'EST VOUS, JEAN ! JE ME FAISAIS UN SANG D'ENCRE... ALORS... ? OÙ ÊTES-VOUS ? QUE POUVONS-NOUS FAIRE ?

MONSIEUR GRÉGOIRE, PASSEZ-LE-MOI !

JE DOIS LUI PARLER DE QUENTIN !

CE N'EST PEUT-ÊTRE PAS LE MOMENT, HÉLÈNE.

CHÉRI, ÉCOUTE-MOI BIEN ; QUENTIN EST À BOUT DE FORCES. SON ORGANISME REJETTE LE TRAITEMENT ET IL S'ANÉMIE D'HEURE EN HEURE. MONSIEUR GRÉGOIRE VA TE RETROUVER ET T'AMENER À LA CLINIQUE... JE VEUX QUE TU SOIS LÀ QUAND... QUAND NOTRE FILS S'EN IRA.

JE SERAI LÀ, MON ANGE. JE TE LE PROMETS...

FIN DE LA COMMUNICATION ! QUEL JEU MORBIDE ! JEU DE MASQUES ET DE TRICHERIES...

LA VIE... RIEN QUE LA VIE.

NOUS AVONS ÉTÉ COUPÉS.

JEAN M'A DIT NE PAS AVOIR UNE GRANDE AUTONOMIE DE BATTERIE.

POURVU QU'IL TROUVE UN MOYEN DE NOUS JOINDRE DE NOUVEAU !

LA VIE...

GARDE TA PHILOSOPHIE DE PACOTILLE POUR TOI, GAMIN ! TU NE CONNAIS RIEN DE LA VIE DANS TON MONDE DE SURDOUÉ. TON SUPER-POUVOIR TE FAIT PLANER... MOI, JE ME COLTINE LES CORVÉES. ET CONFIRMER AU BOSS QUE SON MÔME VIT SES DERNIÈRES HEURES EST LA PIRE DES BESOGNES !

OUI, J'ÉCOUTE... COMMENT VA-T-IL ?

NOUS SOMMES À ROUSSÉ, COSTADI. NOUS TROUVERONS À LA SORTIE DE LA VILLE LES GARDIENS DE LA LOGGIA BULGARE QUI RENFORCERONT NOTRE ESCORTE. AVEZ-VOUS RECOUVRÉ LA SÉRÉNITÉ ?

OUI, MONSEIGNEUR. ET DEPUIS LA PREMIÈRE BOUFFÉE DE VOTRE DIVIN COHIBA.

DOMINUS VOBISCUM...

... ET CUM SPIRITU TUO !

NOUS SOMMES HONORÉS DE NOUS METTRE AU SERVICE DE LA CAUSE, MONSEIGNEUR. VOUS POUVEZ COMPTER SUR NOTRE DÉVOUEMENT TOTAL

GHISOLFO A RAMEUTÉ TOUS SES FAUVES.

JE N'EN DOUTE PAS. TOUTES LES LOGGIAS, À TRAVERS LE MONDE, CONNAISSENT L'ENJEU DU PROJET GÉNOME-I. NOUS LE MÈNERONS JUSQU'À SON TERME, DUSSIONS-NOUS SACRIFIER NOS VIES.

OUI, SAUVEUR ?

QUATRE TYPES ET LEUR VÉHICULE VIENNENT DE SE JOINDRE AU CORTÈGE DE MONSEIGNEUR. ON CONTINUE DE JOUER NOTRE PARTITION SUR LES PORTÉES QUE NOUS BALANCE LE SATELLITE.

SUIS-MOI. ACHEVONS LE TRAITEMENT DU CORPS POUR QUE « LE PROFESSEUR JEAN NOMANE » QUITTE LA SCÈNE SELON LE PROTOCOLE PRÉVU. ACTA EST FABULA !

JE T'EN PRIE, MATTEI, METS TON DISQUE DUR EN PANNE ; TU ES FATIGANT À LA LONGUE ! LE FAIT QUE TU SOIS DOTÉ D'UNE MÉMOIRE ABSOLUE NE T'AUTORISE PAS À LASSER TON ENTOURAGE.

MÉMOIRE ABSOLUE, APPELÉE AUSSI MÉMOIRE EIDÉTIQUE... MEILLEURE DÉFINITION.

ACTA EST FABULA... ULTIME PHRASE PRONONCÉE PAR L'EMPEREUR CAESAR DIVI AUGUSTUS... TRADUCTION : LA PIÈCE EST JOUÉE... INTERPRÉTATION : LA FARCE EST JOUÉE... AUGUSTUS EST DÉCRIT PAR SUÉTONE EN CES TERMES : FORMA FUIT EXIMIA ET PER OMNES AETATIS GRADUS UENUSTISSIMA, QUAMQUAM ET OMNIS LENOCINII NEGLEGENS ; IN CAPITE COMENDO TAM INCURIOSUS...

F'FFF... ! ATTERRIS ET INSTALLE NOTRE CLIENT SUR LA TABLE. NOUS ALLONS LUI INJECTER SA DERNIÈRE DOSE D'ADÉNINE. TU AS TOUT CAPTÉ ?

COMPRIS... PHASE CONCLUSIVE DU DOUBLAGE DE L'A.D.N. DE JEAN NOMANE SUR LE CADAVRE EN VUE D'IDENTIFICATION APRÈS CRÉMATION TOTALE... LES ENQUÊTEURS SCIENTIFIQUES SERONT BERNÉS. COMPRIS...

UNE IDÉE FANTASTIQUE ! UN SEUL GÉNÉTICIEN POUVAIT RÉUSSIR CE COUP, NOMANE EN PERSONNE ! TE RENDS-TU COMPTE QU'IL EST PARVENU À DUPLIQUER SON A.D.N. À L'IDENTIQUE POUR LE DÉCALQUER SUR CELUI DE CE CORPS ?

HÉLICE BICATÉNAIRE, POLYMÉRASE, DÉSOXYRIBONUCLÉOTIDE, PHOSPHOGLUCIDE, HOLOENZYME... COMPRIS...

C'EST AINSI QU'UN CADAVRE ANONYME PREND L'IDENTITÉ DU PLUS GÉNIAL DES SAVANTS DE CETTE ÉPOQUE...

PRÉCISION : LE PLUS SUBTIL DES SAVANTS ET DES TUEURS...

CORRECTION : LE PLUS EFFICACE DES RECTIFICATEURS !

LE CORTÈGE TOURNE SUR ULITSA GEORGI... ÉCART DE 1,5 KILOMÈTRES ENTRE LA DERNIÈRE VOITURE ET VOUS, SAUVEUR... ON VOUS ENVOIE LES CLICHÉS.

VOUS PRENDREZ À DROITE DANS 250 MÈTRES... VOUS RECEVEZ CLAIR ET NET SUR VOTRE BÉCANE ?

AUCUN PARASITE. MERCI DE JOUER MES ANGES GARDIENS... J'ACCÉLÈRE POUR RESTER À 1 KM DE DISTANCE DES VOLTIGEURS.

LOCK, IL Y A UNE PETITE DÉPARTEMENTALE PARALLÈLE À MA ROUTE... VOUS LA VOYEZ ? BIEN, VOUS LA PRENEZ À LA PROCHAINE BIFURCATION. LE TOPO EST IDÉAL POUR UNE INTERVENTION...

LE CONVOI DE GHISOLFO ROULE À 85 KM/H... IL AURA ATTEINT LE PROCHAIN CROISEMENT DANS MOINS DE HUIT MINUTES. JE LUI SERAI ALORS TOMBÉ DESSUS POUR LE DÉMEMBRER...

VOTRE JOB CONSISTE À LE PRENDRE EN ÉTAU AU CROISEMENT ET FLINGUER À L'ARME LOURDE TOUT CE QUI ROULE. JE LANCE LE DÉCOMPTE... ÇA VOUS CONVIENT ?

C'EST DANS MES CORDES, SAUVEUR. SIMPLE, EFFICACE ET IMPARABLE...

LE FOSSÉ, DANS 200 MÈTRES...

JE NE COMPRENDS PAS... UN MOTARD NOUS COLLAIT AUX FESSES DEPUIS UNE TRENTAINE DE SECONDES... ET...

ET ?

ET IL A DISPARU D'UN COUP !

IL AURA BIFURQUÉ DANS UN CHEMIN FORESTIER. PAS DE QUOI S'ALARMER.

LOCK, NOUS SOMMES À 7 MINUTES DU CROISEMENT. DANS MOINS DE 10 SECONDES, JE SAUTE SUR LA VOITURE DE QUEUE.

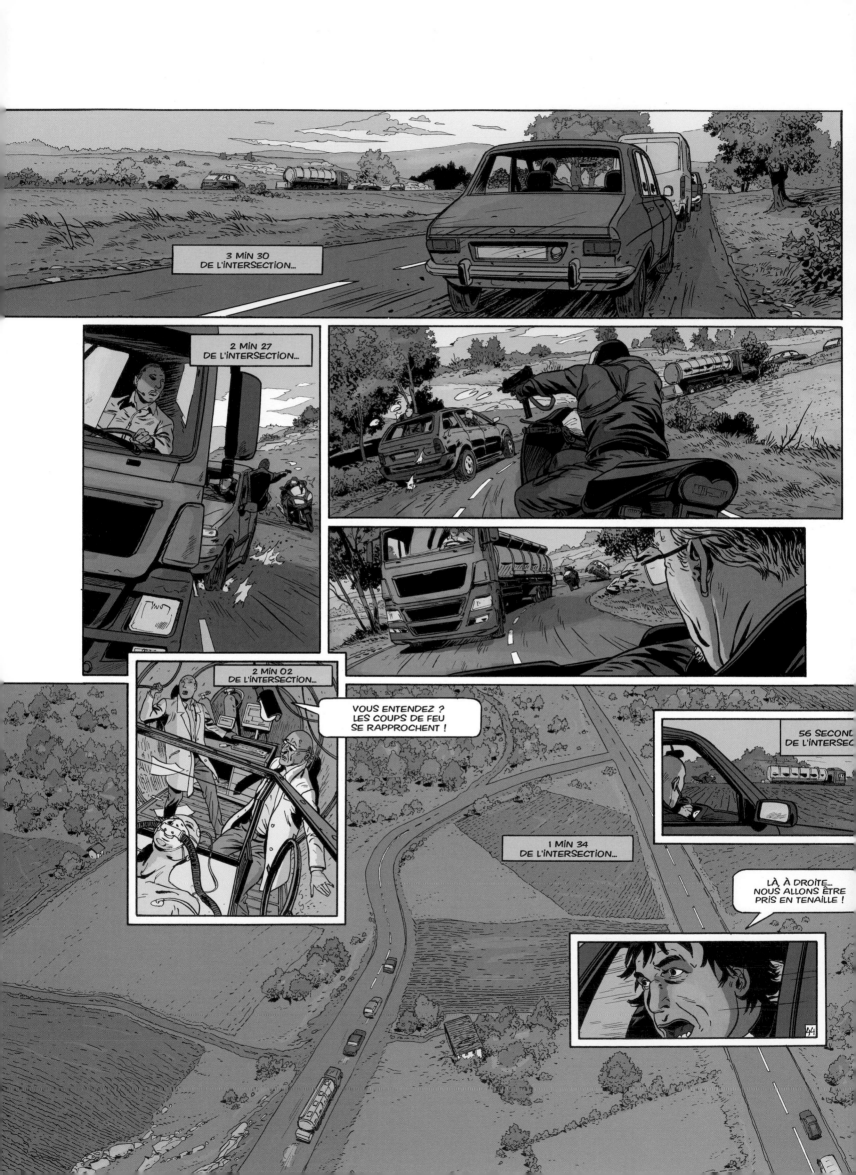

MONSEIGNEUR À COUVEUSE, COLLEZ-NOUS ; NOUS ALLONS BIFURQUER À GAUCHE. UN CHEMIN... SUFFISAMMENT LARGE !

48 SECONDES DE L'INTERSECTION...

LOCK ! GHISOLFO TENTE DE NOUS FAUSSER COMPAGNIE. JE LE SUIS ET VOUS COUPEZ LA ROUTE AU RESTE DU CONVOI.

YOUSS

CRRAACHH

30 SECONDES DE L'INTERSECTION...

16 SECONDES DE L'INTERSECTION.

OÙ EN ÊTES-VOUS, LOCK ?

6 SECONDES...

45

ÇA Y EST, SAUVEUR...
ON FORME LE
BARRAGE !

INTERSECTION.

JE VOUS EN PRIE... PITIÉ !

PAN !
PAN !

47

SEIGNEUR... NON, SEIGNEUR !
NOUS N'AVONS PAS ACCOMPLI
CE MIRACLE POUR QU'IL
S'ACHÈVE AINSI...

PAUMW !
PAUMW !
PAUMW !

ET ITERUM
VENTURUS EST
CUM GLORIA,
JUDICARE VIVOS ET
MORTUOS ; CUJUS
REGNI NON ERIT
FINIS...

SINISTRE FOU ! VOUS N'AVEZ
DONC PAS COMPRIS QUE NOUS
TENIONS LE SALUT DE L'HUMANITÉ ?
L'AUBE D'UNE NOUVELLE
CIVILISATION S'OUVRAIT
À NOUS GRÂCE AU SANG NOIR
QUI AURAIT BIENTÔT COULÉ
DANS LES VEINES DES ENFANTS
DE DIEU... NOUS... NOUS ÉTIONS
LES GARDIENS DU SANG
DE JÉSUS !

VOTRE RÊVE PUAIT L'EUGÉNISME,
MONSEIGNEUR ! IL AVAIT L'ODEUR
BIEN CONNUE DES DÉLIRES
DE TOUS LES REICH QUE
LA TERRE A PORTÉS.

DE QUEL DROIT VOUS ACCORDEZ-VOUS
LES RÔLES DE JUGE ET DE BOURREAU ?

LES NATIONS ET LES ÉTATS ONT
MALHEUREUSEMENT PROUVÉ QU'ILS ÉTAIENT
INCAPABLES D'EMPÊCHER QUE SE RÉALISENT
D'ABOMINABLES TRANSGRESSIONS
SEMBLABLES À CELLE QUE VOUS AVEZ
COMMISE. LE DROIT M'A ÉTÉ OCTROYÉ
PAR LES TROIS POINTES D'UN CERTAIN
TRIANGLE... UN TRIANGLE SECRET !

NETTOYEZ LE TERRAIN ! VOUS AVEZ
PEU DE TEMPS POUR EMPORTER
LES CORPS AVANT QUE LA POLICE
BULGARE NOUS TOMBE DESSUS.
JE FILE À LA RECHERCHE DE SAUVEUR...

48

CE TYPE EST UN VÉRITABLE TSUNAMI !
RIEN NE REPOUSSE PLUS APRÈS SON PASSAGE.

OÙ SE CACHE-T-IL ?

PEUT-ÊTRE DANS LA CITERNE.

UN SURVIVANT ! SALEMENT AMOCHÉ.

DEUM VERUM DE DEO VETO. GENITUM, NON FACTUM, CONSUBSTANTIALEM PATRI : PER QUEM OMNIA FACTA SUNT.

LE RECTIFICATEUR A DISPARU. MAIS LE TRIUMVIRAT SERA SATISFAIT ; IL A ACCOMPLI SA MISSION.

POURQUOI ? POURQUOI NE M'A-T-IL PAS TUÉ ? IL AURAIT DÉJÀ PU LE FAIRE AU VATICAN.

CERTAINEMENT POUR QUE VOUS PORTIEZ LES PÉCHÉS DES GARDIENS DU SANG LE RESTANT DE VOTRE VIE...

À MOINS QU'IL N'AIT ENCORE BESOIN DE VOUS DANS L'AVENIR ? QUI PEUT PRÉDIRE LES INTENTIONS DU RECTIFICATEUR ?

CE JEUDI, 20 HEURES 10.
NON LOIN DE VILLENEUVE-SUR-YONNE.

ADIEU, PROFESSEUR NOMANE !
VOTRE CAMIONNETTE A ÉTÉ PIÉGÉE...
VOUS VOUS ATOMISEREZ DANS
QUELQUES SECONDES. UNE FIN
EN APOTHÉOSE ! PRÉPARE-TOI
À METTRE LE CONTACT, MATTEÏ...

PENDANT CE TEMPS,
EN RÉGION PARISIENNE.

MONSIEUR GRÉGOIRE... C'EST MOI... JEAN...
PLUS DE BATTERIE... FORÊT DE CHIGNY...
VILLENEUVE-SUR-YONNE...
'SUIS EN CAMIONNETTE...

BON DIEU, J'ARRIVE !
JE RATISSE LA RÉGION EN HÉLICO !

UNE TELLE DÉFLAGRATION
NE LAISSERA DU CADAVRE
QUE DE LA CHARPIE. LA SEULE
IDENTIFICATION POSSIBLE
DU CORPS PASSERA PAR L'A.D.N..
ET LE BOSS AURA DUPÉ
LA B.I.S. ET LE VATICAN !

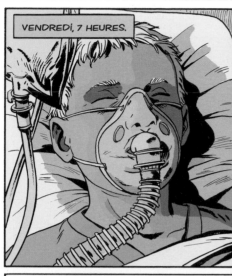

VENDREDI, 7 HEURES.

VOUS L'AVEZ VEILLÉ BIEN TARD ET VOUS ÊTES FATIGUÉE, HÉLÈNE. POURQUOI VOUS LEVER SI TÔT ?

IL ME RESTE PEU DE TEMPS À PASSER AVEC LUI...

CET HOMME... MONSIEUR GRÉGOIRE... IL VIENT D'ARRIVER ET... IL ATTENDAIT QUE VOUS SOYEZ RÉVEILLÉE POUR...

QUOI ? IL A DES NOUVELLES DE JEAN ? DITES-MOI QU'IL L'A RETROUVÉ !

IL VOUS EXPLIQUERA, MA PETITE... DÈS QUE J'EN AI TERMINÉ AVEC QUENTIN, JE COURS LE CHERCHER.

... IL N'Y A PAS DE DOUTE, HÉLÈNE. J'AI FAIT BOSSER LE LABO TOUTE LA NUIT ET LE VERDICT EST MALHEUREUSEMENT FORMEL ; L'ANALYSE A.D.N. DES RESTES HUMAINS DE LA CAMIONNETTE CORRESPOND SANS AUCUNE MARGE D'ERREUR ! JE SUIS SINCÈREMENT NAVRÉ...

JEAN N'AURA JAMAIS REVU SON FILS.

ALORS ?

QUOI, ALORS ? SALOPERIE DE NUIT !
PUTAIN DE MATINÉE ! J'AI APPRIS À UNE FEMME,
QUI EST EN TRAIN DE PERDRE SON ENFANT, QUE SON
COMPAGNON A ÉTÉ CARBONISÉ ET DÉCHIQUETÉ.

NOMANE FAIT PARTIE DE CES HÉROS ANONYMES
QUI SACRIFIENT LEUR VIE SANS QU'IL SOIT VERSÉ
DE PENSION À LEURS PROCHES !

... VOUS AVEZ RAISON, MONSIEUR GRÉGOIRE :
PUTAIN DE MATINÉE !

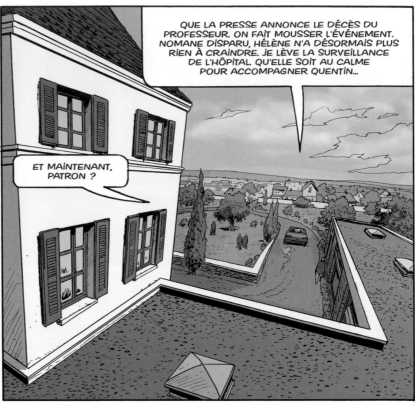

QUE LA PRESSE ANNONCE LE DÉCÈS DU
PROFESSEUR. ON FAIT MOUSSER L'ÉVÉNEMENT.
NOMANE DISPARU, HÉLÈNE N'A DÉSORMAIS PLUS
RIEN À CRAINDRE. JE LÈVE LA SURVEILLANCE
DE L'HÔPITAL QU'ELLE SOIT AU CALME
POUR ACCOMPAGNER QUENTIN...

ET MAINTENANT,
PATRON ?

VOUS ÊTES VENU ME FAIRE
VOS ADIEUX, PHILIPPE ?

PAS DÉJÀ. J'AI POSÉ UN JOUR
DE CONGÉ ET JE PRENDS MON
VENDREDI. JE PASSERAI LE
WEEK-END TOUT PRÈS DE VOUS,
DANS UNE PETITE PIAULE QU'ON
A MISE À MA DISPOSITION.
VOUS NE VOUS DÉBARRASSEREZ
PAS AUSSI FACILEMENT
DE VOTRE CHIEN DE COMPAGNIE !

VOUS ÊTES UN CHIC TYPE, PHILIPPE.

J'EN CONNAIS UN AUTRE... VOTRE AMI LOÏC*.
IL TÉLÉPHONE TOUTES LES DEUX HEURES POUR PRENDRE
DES NOUVELLES EN PLEURANT ET EN CULPABILISANT DE
NE PAS AVOIR LA FORCE DE VOIR QUENTIN DANS CET
ÉTAT. IL NE SERAIT PAS UN PEU CHOCHOTTE ?

PLUS QUE VOUS NE POUVEZ L'IMAGINER !
JE SAIS CEPENDANT QU'IL SERA LE PLUS
DÉVOUÉ DES COMPAGNONS QUAND...
QUAND JE SORTIRAI DE CET HÔPITAL.

DONNEZ-VOUS UN COUP D'EAU
FRAÎCHE SUR LE MUSEAU ; JE
FILE CHERCHER VOTRE PETIT
DÉJEUNER.

J'ESPÈRE QUE VOTRE
FEMME VOUS APPRÉCIE À
VOTRE JUSTE VALEUR !

NOUS AVONS DIVORCÉ L'ANNÉE DERNIÈRE. ELLE
SE PLAIGNAIT DE NE JAMAIS ME VOIR À LA MAISON.

* LIRE LES ÉPISODES PRÉCÉDENTS.

54

DANS LA NUIT DE VENDREDI À SAMEDI.

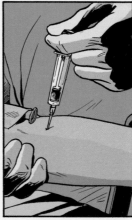

C'EST VOUS, DOCTEUR ?

VOUS N'ÊTES PAS... !
QUE FAITES-VOUS À MON FILS ?
MAIS... JEAN ? JEAN,
C'EST TOI !

55

SAMEDI, 4 HEURES 35.

JE VOUS LE RÉPÈTE, MONSIEUR GRÉGOIRE, J'AI ACCOURU DÈS QUE J'AI ENTENDU HÉLÈNE CRIER. L'INCONNU AVAIT QUITTÉ LA CHAMBRE.

JE VOUS DIS QUE C'ÉTAIT JEAN !

C'EST IMPOSSIBLE, HÉLÈNE. VOUS AUREZ CONFONDU... VOUS ÉTIEZ SOUS LE CHOC DE SA MORT ! LE PROFESSEUR NOMANE A ÉTÉ PULVÉRISÉ DANS L'ACCIDENT DE LA CAMIONNETTE.

VOUS POURREZ ME PARLER D'A.D.N. TANT QU'IL VOUS PLAIRA, JE CONTINUERAI D'AFFIRMER QUE J'AI VU JEAN INJECTER UN LIQUIDE NOIR DANS LES VEINES DE QUENTIN. D'AILLEURS, QUAND AURONS-NOUS LES RÉSULTATS DES ANALYSES LACRYMA SANG ?

ILS NE SAURAIENT TARDER. AINSI QUE CEUX DES AUTRES EXAMENS...

MONSIEUR LE DIRECTEUR, HÉLÈNE ! C'EST INVRAISEMBLABLE !... INOUÏ ! JE N'AI JAMAIS ASSISTÉ À UN SEMBLABLE PHÉNOMÈNE ! NOUS AVONS DÛ DOUBLER LES TESTS EFFECTUÉS SUR QUENTIN POUR NOUS ASSURER QUE NOUS NE RÊVIONS PAS !

QUELLE SUBSTANCE L'HOMME LUI A-T-IL ADMINISTRÉE ? UN TOXIQUE ?

CE N'EST PAS DU POISON, MAIS J'IGNORE DE QUOI IL S'AGIT. VOUS DEVRIEZ VOUS RENDRE AU CHEVET DE VOTRE FILS, HÉLÈNE.

C'EST LA FIN, N'EST-CE PAS ?

JE VOUS ACCOMPAGNE...

LES MOTS ME MANQUENT... VENEZ VOIR PAR VOUS-MÊME, HÉLÈNE.

MON PETIT CHÉRI ! MON ANGE, TU T'ES RÉVEILLÉ ! TU VIS... TU VIS !

J'ALLAIS MOURIR, MAMAN ?

OUI, QUENTIN. MAIS TON PÈRE T'A EMPÊCHÉ DE PARTIR. JE TE PARLERAI SOUVENT DE LUI, MON AMOUR, CAR NOUS NE LE REVERRONS SANS DOUTE JAMAIS. IL S'EN EST ALLÉ COMME LE FANTÔME QU'IL A TOUJOURS ÉTÉ.

LE TRIUMVIRAT TIENT À VOUS FÉLICITER PAR MA VOIX, RECTIFICATEUR. VOUS AVEZ ABATTU MUNDUS ET EMPÊCHÉ LES GARDIENS DU SANG DE MENER LEUR PROJET À TERME. IL N'Y AURA AINSI AUCUN ÊTRE IMMORTEL DONT L'ORGANISME SERA IRRIGUÉ PAR LE SANG NOIR !

AUCUN, MADAME... CONS'UMMATUM EST * !

* TOUT EST ACCOMPLI !

FIN.
PROCHAINE SAISON :
LACRYMA CHRISTI

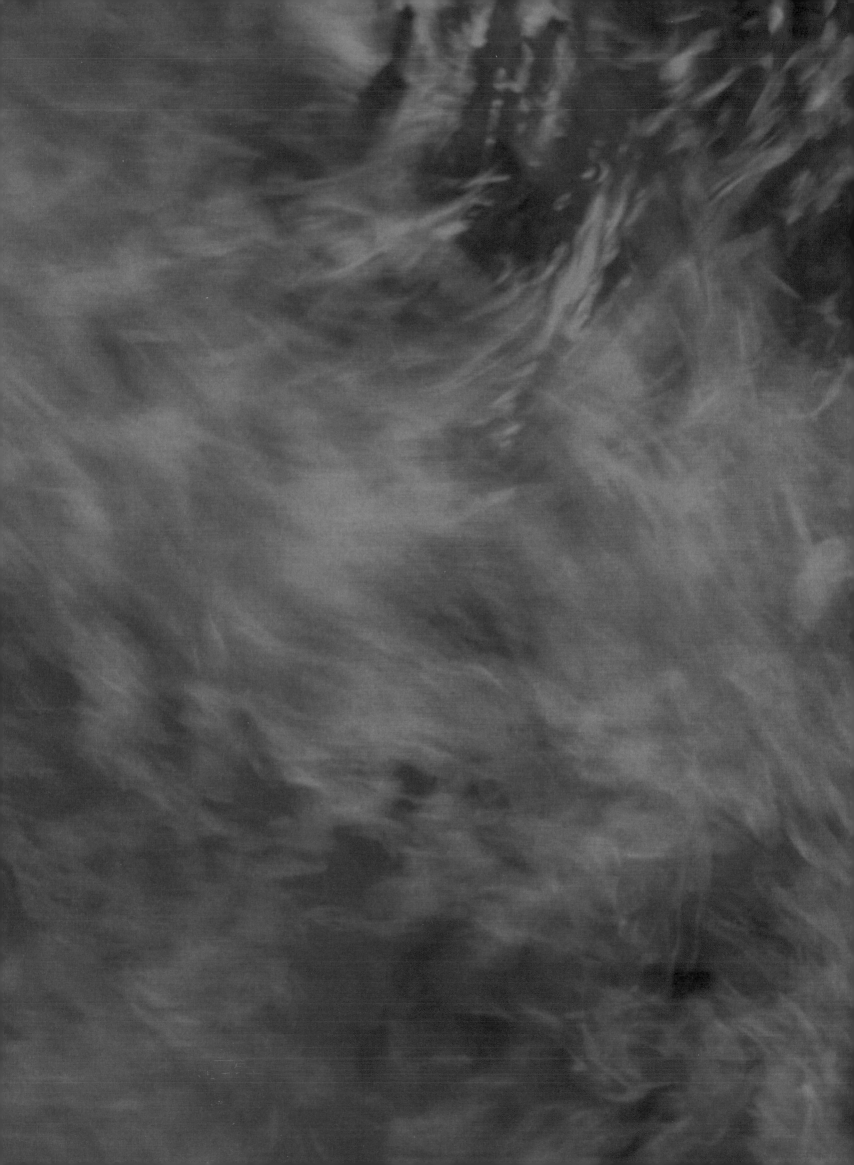